シェア・ザ・リアル

SHARE the REAL

父と息子の未来承継

青井茂・青井忠四郎

木楽舎
KIRAKUSHA

コート
ヤード
ファースト
フライデー

もくじ

編集・執筆補助　相澤洋美
ブックデザイン　霜崎綾子（デジカル）
表紙イラスト　粟津泰成（YASUNARI AWAZU）
写真　長谷良樹
協力　嶋瀬徹（ROOT Co.Ltd）

※本書記載の年齢・肩書きは取材当時のものです。

プロローグ

「売り家と唐様で書く三代目」と江戸の川柳にある。これは、「初代が苦心して財産を残しても、商売をおろそかにして遊びにふける三代目になると没落して家屋敷を売る羽目になってしまう」という意味だ。「唐様」は中国流の書法で、江戸時代に家を売るときにはこの「唐様」で「売り家」と書いて家に貼るのが習わしだった。

かつて、僕の祖父は丸井をつくった。そして、僕は、その三代目にあたる。果たして僕は、唐様で家の売り札を書く羽目になるのか、否か。この挑戦は、僕にとって永遠に続く「宿題」だ。

これまで僕は偉大な祖父や父を持ち、経済的に恵まれ、何一つ不自由なく育ってきた。「丸井の青井さん」と呼ばれることも多かったし、生まれ育った環境を人に羨ましがられることもあった。確かに僕は必要以上に与えられ、守られ続けてきた。それは否定しない。だが、物心ついたときから祖父の業績を背負い、偉大な父と比べられて、言葉にならないプレッシャーを感じていたのも事実だ。

祖父が日本で初めてクレジットカードを発行したとき、「そんな商売が成功するわけない」とバカにされることが多々あったという。果たして当時、祖父の目にはクレジットカードが普及している現在の日本が見えていたのだろうか。

僕らのアトムは今、"Imagine, 100 years"というスローガンを掲げている。100年後も残る産業とは何か。100年後に残したい文化とは何か。常にそれを模索しながら事業を企画し、興している。そして、100年後の社会にも脈々と生き続け、さらに大きな花を咲かせる〝種〟を、今の時代に撒きたいと動いている。

実現には大きな障壁やリスクもあるだろう。でも僕は、何事も"No pain, no gain"だと思っている。痛みがなければ、得るものは何もない。挑戦し続けることこそ、人生ではないか。

僕は2019年5月、令和の幕開けとともに、アトムの社長に就任した。つまり、アトムの挑戦は僕自身の挑戦ということになる。今の僕にはまだ、稀代の実業家たちが持っているような魅力はないかもしれない。だが、代わりに祖父から引き継いだ「挑戦者」という遺伝子がある。僕はいずれ人生の幕を閉じるときに、「青井茂―挑戦＝ゼロ」といわれる男になりたい。それが、アトムと自分に課された使命であり、僕が「三代目」という巨大な壁を飛び越えるために必要な、大きな踏み台になるはずだ。

株式会社アトムはお陰様で創立60周年を迎えた。100年単位で残る文化・まちづくりへはまだ道半ばだが、大きな夢の実現に向けて、悲喜を分かち合い、歩みを共にしてくださる皆様とともに一歩ずつ進んでいけたらと思っている。

言うまでもなく、「100年企業」の起点となっているのは、先代社長・青井忠四郎であり、そして創業者・青井忠治である。本書は、僕らの「今」の思いを、今は亡き祖父・青井忠治にむけて伝えるものだが、もし、この本を通じて、事業承継やファミリービジネスに悩む皆様や、日本全国で頑張っている中小企業の皆様、新しいことに挑戦しようとしている方々のヒントになれば、これ以上の喜びはない。

2020年3月
青井 茂

1章

ファミリービジネスは
ほんとうに「強い」のか

1章 ファミリービジネスはほんとうに「強い」のか

日本はファミリービジネス大国だといわれる。かつてファミリービジネスは、経営倫理の低い「遅れた経営形態」とみられていた時期があった。日本でも創業家のワンマン経営やお家騒動、能力のない子弟の世襲など、同族企業には負のイメージが多かったように思う。

しかし近年は、この同族経営によるファミリービジネスに注目が集まっている。ファミリービジネス研究の第一人者である、米ノースウェスタン大学ケロッグ経営大学院のジャスティン・クレイグ教授が、「ファミリービジネスは非ファミリーの業績を上回る」という研究結果を発表したのを皮切りに、多くの研究者により、ROE（自己資本利益率）や、ROA（総資産利益率）、利益の伸び率、売上高成長率などでファミリー企業の方が優れているという報告が世界各国で発表された。また、欧米のビジネススクールでは「ファミリービジネス科」を新しく学科に加えたところも増えているという。

一方で、ファミリービジネスには特有の弱みや課題もある。ファミリービジネスが抱える問題とはなにか。後継者は今、なにをしなければいけないのか。江戸開府300年の明治36年に創業したファミリービジネス・常石グループの後継者として、新しい文化と時代をつくってきた神原勝成《かんばらかつしげ》さんと、日本にクレジットカード文化をもたらした丸井の3代目・青井茂が語り合った内容を、対談形式でまとめた。

青井茂（以下、青井）　勝成《かつしげ》さんは、43歳でツネイシホールディングスの社長を退任されましたが、これは最初から決めておられたのですか。

神原勝成《かんばらかつしげ》（以下、神原）　はい。私は29歳で社長に就任したのですが、最初から「40歳で辞める」と断言していました。結局辞めたのは43歳だったので、予定より少し長くやりすぎましたが。

青井　それはなぜですか。

神原　かつて細川護熙元首相が、熊本県知事選挙のときに「権不十年《けんぷじゅうねん》」といって、2期8年限りで知事を退任しましたよね。私は、経営者にも同じことが言えると考えています。同じ人が権力を長く持ち続けることがいかに怖いかというのを、私は父や叔父で、実際に見聞きしてきましたから。

青井 でも、お父様もわりと早く社長を退任されましたよね。

神原 父が社長を退任したのは50歳くらいのときでした。父も32〜33歳で社長に就いたので、社長を退任したときに完全に経営から退けばよかったんですが、社長退任後も経営や人事に口を挟みたがるので、ずいぶん喧嘩もしました。

青井 喧嘩……（笑）。30歳前後で社長に就任させるというのは、神原家のルールなのですか。

神原 若いうちに社長を任せるというルールはありません。家訓やファミリーの評議会でルールを少しずつ整えていきましたが、以前は明文化したものがなかったので、一族の集まりで定期的に開催している飲み会のなかでなんとなく、という流れが多かったと思います。

「家族憲章」がキーワード

青井 勝成さんは、「ルールはない」という神原家のルールを破って家族憲章を作られましたよね。2015年にオタフクソースの佐々木社長が「佐々木家　家族憲章」を制定して注目されましたが、日本ではまだまだ「ファミリー憲章」という言葉を知らない人もいます。なぜ、ルールを作ろうと思われたのですか。

神原 うちは地方の造船業で、仕事をしたい相手とは一緒に酒を飲むという「飲みニケーション」文化がいまだに根強く残っています。兄弟やファミリーとも飲むんですけど、私の兄弟もそれぞれが家庭を持つようになってどんどん人数が増え、今うちの両親には18人の孫がいるんです。

青井 そんなにいらっしゃるんですか。

神原　一族合わせると100人くらいになって、どの人が誰のお嫁さんだったか分からなくなったりしますよ（笑）。だから、今までは暗黙のルールでやれていたことも、だんだんまとまりがつかなくなってきたんです。そうでなくても、同族企業はなにかともめ事がありますから、これはもうルールを作るしかないな、と考えました。

青井　100人となると、もう学校規模ですね。家族憲章の制定にあたっても、お父様とずいぶん議論をしたと聞きました。

神原　もう大喧嘩ですよ。父からは、「ルールを作るなら、『ルールを作らない』というルールを作れ」と言われていました（笑）。
父が社長だった時代は、好みやフィーリングで社員を選んでいたこともあったそうです。当時はそういう時代だったからよかったのかもしれませんが、「今の時代、公平性や透明性のない経営では企業として失格です」と話すと、「そんなもの、従業員と酒飲んで、顔見とれば分かるだろう」って。

「そういうコミュニケーションの取り方がダメなんです」と反論したら、「人事制度とか会社のルールなんてものは、できるだけ作らない方がいい」と言いだし、挙げ句の果てに「ルールを作らん、というルールを作れ」ですよ（笑）。ある意味正論といえば正論なんでしょうけど、時代がもう違いますからね。

青井　お父様の時代にはそれが正解だったんですよね。

ファミリーガバナンスでゆるく会社を変えていく

青井　家族憲章は、どのように作られたのですか。

神原　外部のコンサルタントを入れて評議会を作り、ファミリー間のコミュニケーションをとる委員会をはじめ、家訓・教育などいくつかの委員会も立ち上げて一つひとつ作り上げていきました。神原家の家訓では、「人として」「家族」「事業」「地域」の４つにわけて、それぞれ細かく明文化して残しています。
評議会のルールは随時改訂しているんですが、昨年叔父が亡くなったときに思いついたのは、「葬儀意思確認」という項目です。各個人の自由で、強制ではありませんが、「紙に書いて残す」というのが効果的なのではないかと考えています。

青井　明文化しているのは、ご自身が亡くなったさらに先のことも考えておられるからですよね。100年先は確実に考えておられますか。

神原　そんなに先のことまで考えてはいませんよ。でも、大家族ってやっぱり難しいですね。帝王学ではないですが、昔は「長男至上主義」だったのが、時代や事業規模が変わってくると、家長の長男だけが優遇されるという状況に不平や不満を抱く人が必ず出てきます。「長男が後を継げば、兄弟みんな仲良くやれる」ということが代々言われてきましたが、5代目、6代目になってくると、昔のファミリーの強みが逆に弱みになる可能性がある。だから、今のうちにゆるやかなルールを作って明文化しておくべきだと考えました。

青井　家族憲章のなかには、「祖先を敬う」という項目があって、ファミリーで一族のお墓参りに行かれているとお聞きしました。

神原　「毎年3月の最後の土曜日に、一族みんなが集まって、お墓参りと墓掃除をする」というルールを定めました。みんな、その後の飲み会が目的なんですけどね（笑）。

青井　会社では今でも、「ツネイシホールディングスで働く」というより、「神原家に仕える」という感覚の方が多いんでしょうか。

神原　それはまったくないです。私なんて、アポなしで会社に行くと、守衛に不審人物として呼び止められますよ（笑）。

青井　へぇー！顔パスじゃないんですか。

神原　それが自然な流れですから、むしろその方がいいんです。

今は、ツネイシホールディングスの社長をやっている弟がコーポレートガバナンスを作り、私がファミリーガバナンスを作っているのですが、少しずつ会社を変えていくため、2年前から、全グループ会社に社外役員を入れていこうとしています。会社は急には変わりませんから。

青井　社外役員はどんな方たちにお願いしているのですか。

神原　コンサルタントや、商社の役員、弁護士などさまざまです。経営の実績があり、ファミリービジネスも神原家もよく知っている人を兄弟でリストアップして、「この人には、この会社に入っていただきたい」などと話し合っています。こうやって少しずつですがオーナー絶対主義を変えていかないと、会社は腐敗しますからね。

青井　いい意味での変革ですね。私も祖父から「変化」の大切さを学びました。

神原　私の息子もそうですが、今の若者は、私たちとはまったく価値観が違います。今、一番の悩みは、地方ではなかなか優秀な人材が確保できないということ。それと、従業員の刺激を受ける場が少なく、競争意識や向上心の低下につながっているということです。

青井　立命館アジア太平洋大学は、まさにそうした「地方での高度人材の育成」を目指した大学ですが、こういう大学を地元に作るというような発想は。

神原　実は今年、学校運営をしているファミリーが、フィリピンのセブ島に大学設立を予定しています。今後いろいろな学部が出てきますが、造船の技術を教える学部もつくる予定です。

青井　人材育成は5年、10年経たないと結果が出てきませんから、なかなか普通の雇われ社長ではできません。こういうことができるのは、オーナー企業の利点でしょうか。

「面白い」会社で地域に変革を

神原　そうかもしれませんね。私が今目指しているのは、とにかく「面白く」働くことなんです。2014年に尾道に「ONOMICHI U2」という複合施設を作りました。広島県が所有する海に面した古い倉庫をリノベーションした、しまなみ街道を走るサイクリストに向けた複合施設です。ホテルやレストラン、カフェなどの飲食店、地元の名産や産業を生かしたショップなどがあり、今はインバウンド客なども多く訪れる人気スポットに成長しています。

青井　私が初めて勝成さんを知ったのが、この「ONOMICHI U2」でした。「広島で面白いまちおこしをしている人がいる」と聞いて、視察に出かけたのを覚えています。２０１９年に尾道に開業した宿泊施設「ＬＯＧ」も、リノベーション物件ですよね。

神原　「ＬＯＧ」は、昭和38年に山の手の中腹に建てられた「新道アパート」という名の鉄筋モダン住宅をリノベーションした宿泊施設です。これも、みんなでわいわい飲みながら「こんな施設があったら面白いのに」という話から生まれました。

青井　なぜ、こうした地域活性化事業に取り組まれるようになったのですか。

神原　43歳で社長を辞めたときに、「これから先は、何か地域のお手伝いがしたい」と考えたんです。その結果、何か雇用を生むようなビジネスをしようと思いつきました。では、どんなビジネスにすればいいのか。そう考えたときに浮かんだのが、サービス業だったんです。ツネイシグループの場合、造船業の次に雇用能力が高いのがサービス部門です。パートまで含めると８００人くらいの方が働いています。地域を活性化させるためには、雇用の充実は不可欠です。ですから、新しい事業をやるならサービス業をやろうと「ONOMICHI　U2」や「LOG」などの施設を作りました。

青井　地域活性化でツネイシグループの評判も上がったのでは。

神原　最初は「まちおこし」という言葉を使って事業をやり始めたので、「誰がまちおこしをしてくれって頼んだ」と、住民の方から逆に反発を招いたこともありました。だから「まちおこし」という意識ではなく、「何か面白いことをやってくれる会社」が求められているんだ、と気づきました。

青井　アトムも、旧厚生省公務員宿舎をリノベーションして、複合商業文化施設「コートヤードHIROO」を作ったときに、「何かみんなで面白いことができたら」という思いでスタートしました。おかげさまで今は、年間約2万人が訪れる人気スポットに成長していますが、勝成さんがおっしゃるように「街の活性化を目指したい」などといって始めたら、うまくいかなかったかもしれません。

神原　そう。だから目指すは「おもろい会社」なんです。

青井　ユーモアがある経営者って、すごく重要だと思います。何かをつくるのは一瞬のパワーがあればできますが、面白くなければ続きません。

神原　自分がもし観光に行ったら、と考えると、観光客向けの店ではなく、地元の人が楽しむところや、地元の人が通っているお店に行きたいじゃないですか。新しく作った、県外の観光客をターゲットにしたようなホテルや飲食店というのは長続きしませんよね。だから、地元の人に愛される施設を作れば、結果として観光客もたくさん来るんです。「観光客をたくさん呼ぶぞ」とやると、町の人も受け入れないし、観光客からもそっぽを向かれます。

青井　勝成さんを、富山が大都会でも誇れるお洒落な場所へご案内したときに、冗談で「こんなに気取った場所じゃなく、富山弁を話すおばちゃんのいる地元の居酒屋に連れてって！」と、怒られたのを思い出しました（笑）。

神原　アトムの富山新事業は、そういう意味ではまだ少し力が入っているのかな？（笑）。でも、富山への強力な郷土愛を感じますから、きっと大成功です。まちおこしは、その土地に愛着のない人がやると絶対にうまくいきませんから。

青井　今、県外の人が「儲かりそうだから」と、愛もなければ文脈もないなかでまちづくりをやっているところが多々あります。そういうまちが日本中に増えていくのは、本当に悲しいです。

神原　結局、茂さんと私は似ている部分がありますよね。

青井　それは光栄です。いつも「なにをするかではなく、誰と仕事をするか」を考えているので、勝成さんとご縁をいただけて、多くのことを学ばせていただいています。

神原　そして、今、うちの息子が茂さんの「子分」なんですよね。「茂ちゃん」って呼んでますけど「お父さんの友達に、『ちゃん』付けはないだろう」って（笑）。

青井　でもそうやって縁ってつながるんですよね。私は、勝成さんが息子さんを連れてきてくれるのが嬉しいですよ。家族を持っている勝成さんの「親」の一面が覗けるのも新鮮ですし。

神原　造船業では、親の代から引き継いだネットワークは裏切れないので、特に大事にしているところがあります。不景気のときに船を発注していただいたり、長年いろいろな貸し借りの歴史がずっと続いているから。

青井　かつて、富山の薬箱が代々受け継がれていったのと同じですね。

神原　本当は、父からもっと、失敗談とか苦労話の方が聞きたいんですよ。生々しい体験談を聞ける方が勉強になりますから。父は80歳手前で、いまだに現役の実業家ですが、「事業なんかせず、自分の歴史や会社の棚卸しをしてほしい」といつも言っています。

青井 それは逆にすごい。うちの父は77歳ですけど、今から事業を興すというエネルギーはないですよ。「お前らががんばればいい」という姿勢ですが、勝成さんのお父様の原動力はどこにあるんでしょうか。

神原 父の口癖は、「おまえらみたいなできの悪い息子がいるから、ワシは自分でやらにゃいかんのじゃ。ボケる暇もない」です。口が達者でタチが悪い（笑）。でも、父と祖父のぶつかり合いの方がもっとひどかったから、私はまだまだ、と母に言われたことがあります。うちは、代々親子喧嘩がコミュニケーションなんですね。

青井 でも、息子さんと勝成さんは仲がいいじゃないですか。

神原　次の世代の子どもたちとは、喧嘩はしたくない。というよりむしろ、子どもたちに失敗も含め、のびのびと経営させたいなという気持ちがあるんですよ。今のところはね。いずれは分かりませんけれど（笑）。

青井　そこは私も、「老害」にならないよう、肝に銘じます（笑）。今日はありがとうございました。

2章

天井を突き破れ
「コートヤードＨＩＲＯＯ」誕生秘話

2章

天井を突き破れ「コートヤードHIROO」誕生秘話

コートヤードHIROOが誕生して、5年になる。着工は2013年。まだ日本では「リノベーション」という言葉も浸透していない時代で、コートヤードHIROOの登場は、ちょっとしたセンセーションを巻き起こした。

昭和の高度成長期以来、日本の建築業界は「スクラップ・アンド・ビルド」で成長を遂げてきた。新築一軒家を持つのがステイタスとされ、多くの人が、何十年もローンを組んで通勤に何時間もかかる郊外の庭つき一戸建てを購入することを「夢」に描いた。しかし、近年、この「新築信仰」

に変化が現れている。

国土交通省の「建築着工統計年報」を見ると、住宅の新築着工戸数は、1996年以降緩やかに減少し、2018年の着工戸数は94万戸と、2年連続の減少となった。また、少子高齢化が進む日本では、新築が減っているにもかかわらず、2008年時点で住宅ストック数が総世帯数を15％も上回り、2030年には約2割に達するといわれている（※1）。

こうした住宅事情は、空き家問題を生み、国も新築中心から既存住宅の有効活用へと転換をせまられている。国土交通省は「既存住宅流通・リフォーム市場の活性化」を重要課題に掲げ、2030年には20兆円の市場規模を目指すと発表している。

元号が平成から令和に変わり、時代がようやくコートヤードＨＩＲＯＯに追いついてきたようにみえる。時代の先を見据え、都心の一等地にイノ

【リノベーション前】
リノベーション前の建物。古くて耐久性にも不安があり、保存よりも取り壊しが望まれていた。

【現在】
文化やスポーツの交流の場として地域の住民からも愛される空間「コートヤードHIROO」へと生まれ変わった。

ベーションを起こした建築設計担当・篠河恰兵氏《ささかわこうへい》と、ランドスケープ設計担当・福岡孝則氏に、コートヤードＨＩＲＯＯにまつわるエピソードを聞いた。

※1　国土交通省「第1回 中古住宅の流通促進・活用に関する研究会」平成25年3月 住宅ストック推計値）一般財団法人ベターリビング サステナブル居住研究センター作成 世帯数推計値）国立社会保障・人口問題研究所「日本の世帯数の将来推計」（２０１４年４月推計）

青井茂（以下、青井）　篠河《ささかわ》さんと福岡さんは、アメリカのペンシルバニア大学院でご一緒だったんですよね。篠河さんが芸術学部建築学科で、福岡さんはランドスケープ及び地域計画学科のランドスケープ専攻で。

福岡孝則氏（以下、福岡）　はい。篠河さんとは卒業後、また偶然近くに住むんですよ。僕は卒業後、シドニーやロンドンのオリンピック会場などを手がけたサンフランシスコの大きなランドスケープ設計事務所に行くんですけど、たまたま篠河さんもサンフランシスコに勤務されることになって。

篠河恰兵氏《ささかわこうへい》（以下、篠河）　そうなんです。私は大学院卒業後、サンフランシスコの18人しかいない小さな事務所で、小学校や美術館、コンドミニアムの設計を担当していました。でも、当時のボスから「サンフランシスコはひとつ仕事をやり終えて中高年がゆっくりする場所だから、お前みたいな若いのはNYでもまれてきた方がいい」と言われて、その後はNYに行きました。

福岡　僕はサンフランシスコでは、汚水処理場のランドスケープなど、大きな仕事を担当していたんですが、数年後にずっと憧れていたキャサリン・グスタフソン氏が率いるＧＧＮというランドスケープ事務所で働けることになり、シアトルに引っ越しました。そこでは、ビル・ゲイツ邸のランドスケープとか、シカゴの美術館コートヤードなど、アートなどにも造詣が深い富裕層のプロジェクトばかり担当していたので、もっとパブリックな仕事をしたいと思い、ドイツの事務所に移って２０１２年まで働き、帰国しました。

篠河　私がかねてより憧れていたのは、ラファエル・ヴィニオリという建築家で、ＮＹでは彼の事務所で働いていました。当時その事務所で最大のプロジェクトであったウルグアイの首都、モンテビオの国際空港を着手することになりまして。通常国際空港というと十数名の規模で設計士が入って取り組むんですが、我々はなぜか４人というスタッフィング。昼夜を問わず、日曜日の夜も呼び出されて、なんとか完成させましたが大変でした。

そのあと、ヘッドハンティングを受けて、SOMという全米最大にして最古の設計事務所に入りました。SOMは、グラウンド・ゼロ（Ground Zero）の再開発や、世界一の高さを誇るブルジュ・ハリファの設計で非常に有名なところなんですが、高層ビルの設計を多く手がけ、マンハッタンの中高層ビル、それからロッテワールドタワーという、ソウルの123階建て・555mのタワーなど、大きなものをいくつもやらせてもらいました。大変大きなやりがいと充実感があったのですが、リーマンショックによる人員削減で仕事量が倍以上に増えたことと、もう少し相手の顔が見える規模の建築をやりたいと思うようになったことから、基本に戻って小規模の設計からやり直そうと2010年に10年ぶりに日本に帰国し、独立しました。

青井　私と篠河さんは30年来の友人なんですが、日本に帰国して独立開業の案内をいただくまで、篠河さんが建築の仕事をしていることを知らなかったんです。ちょうど麹町の事務所のリノベーションを考えている時期だったので、コンペに参加してもらい、初めて仕事を一緒にすることになりました。

福岡　初めて、といえば、僕が日本に帰ってきて初めて手がけた仕事がコートヤードHIROOだったんです。

青井　そうなんですか！それは初耳です。

篠河　コートヤードHIROOは3社コンペでしたが、私もサンフランシスコやNYで100年以上の歴史がある建物を何回もリノベーションしてきたので、最初は単独で設計を請け負えるかな、と思ったんです。でも、「古い建物をいかにして保全・修繕するか。しかも、今まで以上にリバイブした活況感のある場所にしなくてはいけない」という命題を与えられたときに、250坪という大きな敷地があるなかで、中と外の関係性を保つには、建築士だけではなく、専門のランドスケープアーキテクトが必要だと考えました。さらに、「駐車場はいらない。車が一切入らない場所にしてほしい」と言われたことや、「塀を取り除いてほしい」と言われたときに、これはもう建築だけではなくて、景観設計の方を取り込んでいろんな人の動きや植栽の育成というのも考えなくてはいけないと思い、福岡さんにお願いしました。

青井 アメリカではご一緒にお仕事をされたことはあったんですか。

福岡 いえ、ないです。でも、大学院時代、日本人留学生がそれほど多くなかったのと、芸術学部のなかに全学科があって、吹き抜けのギャラリーで厳しい教授たちから講評を受けているのを見ていたので、その頃からどんな人でどんな設計をするのか、お互いに知っていました。

篠河 吹き抜けの講評……。あれは、みんな普通に泣いていましたよね。著名な教授陣を招聘してレビューが行われるんですが、目の前に並んだ教授たちから、ぼろくそに言われるので、女子学生は当然ですけど、屈強な男子学生でも涙をこらえていました。懐かしいですね（笑）。

福岡　篠河さんから1回敷地を見に来て、と言われ、夏のすごく暑い日にコートヤードHIROOの敷地を初めて体験したのですが、まだアスファルトの駐車場に雑草がバーッと生い茂っていたのを覚えています。かつては住宅だったので、そこに住んでいた人が植えた夏蜜柑などの果樹があって、昔の人はこんな暮らしをしていたんじゃないかなというのが感じられるような場所で……。それと、この建物は南側を向いていますので、すごくいい場所の雰囲気、オーラのような空気感があるなと感じました。

ただ、建物は南側を向いているのに腰壁が立ち上がって外に一切出られなくて、建物と庭が分断されている。それが残念だな、と思ったのが最初の印象でした。

篠河　コートヤードHIROOは、1968年に建てられ、旧厚生省公務員の宿舎や駐車場として使われていた団地型集合住宅でした。昔の団地的な設計なので、小さな部屋が規則正しく配置されてはいるものの、「つながり」が一切なかったんです。そこで私は、「減築」という提案をしました。

以前の建物は、部屋同士の関係性も一切なければ、南側の駐車場や中庭との連続性も一切ない。これを、たとえば壁をひとつ壊すと、ひとつの大きな部屋ができます。あるいは、床を抜けば上下の部屋が連結できる。上下をつなげたらロフト住宅ができるし、横につなげれば店舗だって入れられます。縦のつながり、横のつながり。そして、これだけ採光と眺望に優れた中庭があるので、最大限享受できるよう行き来できるようにしましょう、と外壁の一部も取り除きました。

福岡 ランドスケープの観点でも、外の空間と建物をどうつなげるかとか、アウトドアにリビングルームみたいなものをいくつか作って、そこでいろいろやりたいねという話はしていました。

青井 僕はお二人を「アーティスト」と呼ばせてもらいますけど、お二人が僕らにない感覚を持っているアーティストだからこそ、仕事をお願いした部分があります。これがもし、僕の想定通りだったら、僕が「こうやってくれ」とお願いすればいいわけですよね。でも、建築家とかアーティストの方というのは、僕が思っている以上の結果を出してくださるので、そこに驚きと感動を見出し、このチームにお願いをしました。

最初はプールとか設計されていましたから、驚きましたよ（笑）。でも、そこまで施主の発想を超えた提案をしてくれないと、プロにお願いする意味がない。予算面や現実的なことを考えると、ご提案全部を実現できるわけではありませんでしたが、そういうプロと一緒にやりたいなと思っていたので、お二人の提案はすごく楽しかったです。

福岡　建築の場合、部屋の用途とそこでどんなことをするかをだいたい決めてから設計するんですけど、ランドスケープはそこでサッカーをしますと決めていても、ラグビーをしてもいいし、ヨガをしてもいい。ある程度自由なんです。人がどういうふうに使うかとか、どういう人の交わり方がデザインできるのかなと考え「こんなこともできます」と自然のなかでヨガをする写真を見せたときに、青井さんたちが「やりましょう」と言ってくださったのは、嬉しかったです。

篠河　でも役所の許認可は大変でした。港区の役所は、ここは取り壊して当然の建物と

リノベーションの第一歩。隣接する部屋との壁を取り除くことで、空間につながりをもたせた。

いう考えでしたから。

マンションや集合住宅を建てるときは、コンクリートのスラブは厚さが180〜200ミリくらいが標準ですが、ここは120ミリ以下でしたから、「あんなものはとっておくと、甚大な被害が起きる」と言われました。そのうえ、「保全して使いたいです、しかも減築で」という話までしたら、大騒ぎになりました（笑）。

ところが、耐震検査をしたところ、昔の耐震法で建てられていたわりに、IS値が1.5あり、減築しても1・2あることが分かりました。最新の建物では0・6以上は耐震性能があると見なされますので、その「標準」値の2倍の強度があることになります。ここはもともと厚生省の官舎だったので、頑丈につくっていたのかもしれません。こちらを利用される皆さんには揺れがあったときには、コートヤードHIROOの外に出ないでくださいと言っています。

あとは工事中少量ですがアスベストの除去が発生したり、過去に幾度も手の加えられた設備配管を再整備するのにも時間を要しました。

それと、まったく私事ですが、撤去工事が始まった2013年の末に、ちょうど妻が娘を出産しましたので、娘の成長とコートヤードがパラレルになっています。娘と同じようにコートヤードも成長し、歩み始めたなと思うと感慨深いものがあります。コートヤードＨＩＲＯＯは第二の娘のような存在です。

福岡　コートヤードＨＩＲＯＯには、緑の中にコールテン鋼、錆びた鉄板の壁があるんですけど、もともとは長さが９メートルあったんです。薄く見えますが、非常に重いので、基礎で支えないと倒れてしまいます。ランドスケープは最後に予算が削られることが多く、設計段階で計画していたものができるかどうかという部分があるんですが、青井さんが「福岡さんがやりたいと言っているのでやりましょう」と言ってくれて。普通はあまり使わない素材と加工で壁を設置させてもらえたのは、青井さんの理解があったおかげです。

青井　恐れ入ります。お二人が一番印象に残っているのは、どんなことですか。

篠河　一番印象的だったのは、竣工を祝う席上で、忠四郎さんから「今回は、私が一番偉かったよね。お金は出したけれど、口は出しませんでしたよ」と言われたことです（笑）。逆はたくさん見てきましたが、これぞ最高のお施主様だと思いました。

福岡　僕たちは建築家の下に入って設計をするときもあれば、お施主さんと一緒に作るときもありますが、お施主さんと一緒にやる方が楽しく、早く進められます。「外で何をするか」ということも、普通は設計ができた後で、運営会社やイベント会社が考えることなんですけど、そうではなく、最初からどういうふうに場所を使うかを考えていけたのは楽しかったです。

青井　施主側の意見になりますが、2013年って東京でのオリンピック開催が決まった年なんですよ。あれで建築工賃がグンと上がったので、見積もりの段階からどんどん全工賃が値上がったのは参りました。でもコートヤードHIROOは、最初にコンテンツありきではなかったので、一緒にコンテンツを考えていきましょうということで、半分だけ先にオープンさせたのは思い出深いです。

篠河　フェーズ2は最初から用意していましたが、フェーズ1が終わったときに、いろいろ感じるところがあり、フェーズ2の内容をガラリと変えたんですよね。最初住居の予定が、SOHOに変わったり。2階のレストランも非常に前衛的なしつらえで苦労しました。「料理と器のみに色があるべき」というレストランのコンセプトで、内装がすべて黒色に塗り込まれた結果、トイレが流れないという事態が発生したんです。トイレのリモコンは白い壁を反射して電波を受信するので、真っ黒だと信号を受信できず、水が流れないということが分かりました。これがオープン数日前のことでした。メーカーに問い合わせると「白い壁にしてください」と言われ、シェフからは黒い壁じゃないとダメだと言われ……。いろいろ細工をして、リモコンの発光部にプリズムを置くことを思いつきました。何種類もの形状を試して、流れたときはガッツポーズでした。

でも、こうしてふり返ってみると、一人のお施主様と接してきたつもりが、後にテナントとして加わるさまざまな人が関わることで、今のコートヤードHIROOが生まれたということが分かります。仕事をする人、集う人、食を操る人、それぞれが独自の色を出している。コートヤードＨＩＲＯＯが結果としてパレットのように彩られていったことが、一番嬉しく思います。

青井さんは最初に「ときわ荘をつくりたい」と言っておられました。「このプロジェクトは何年続くかわからない。途中で取り壊されるかもしれない。でも、あそこにコートヤードという場所があって、あの人がここから巣立っていったという場所をつくりたい」という話を聞いたとき、なんとしてもこのプロジェクトは自分が手がけたい、と強く思いました。

福岡　そういう意味だと、ここがオープンしたときから続いている、「First Friday」は面白い取り組みですよね。今まで50回以上開催していて、1回1回違う。春はお花見、夏はバーベキュー。パフォーマンスをしたり、ポップアップストアやヨガイベント。僕はその企画運営を、プレイスメイキングと呼んでいるのですが、5年以上続いているのは本当にすごいと思います。

昨年の夏は、「夏の自由研究所」を青井さんが企画して、コートヤードＨＩＲＯＯを舞台に子どもたちと楽しく学び、遊ぶ場が開かれました。僕は「夢の公園をデザインしよう」という教室を担当しました。好きな場所をスケッチすることからはじめて、模型までつくるという内容で参加したのですが、子どもたちから、「公園って誰かがデザインするものだって知らなかった」と言われたのは感動でした。

場のマネジメントは、普通は子会社やイベント業者に任せるものですが、青井さんたちは完成したあともこの場をどう育てるかを常に現場と一緒に考えています。だから僕もここに来るといつもワクワクします。

篠河　私は、本来であれば完成したあと、お施主様の建物にはなるべく近寄らないようにしているんですよ。文句を言われるか、不具合を報告されますので（笑）。でもコートヤードＨＩＲＯＯに関しては、自然と足を運び、見に来る楽しみが増えていますね。妻や子どももここに来るのを楽しみにしています。

2019年の夏にコートヤードHIROOで開かれた
「夏の自由研究所」。

First Fridayでのヨガのワークショップの様子。

夏のあいだ、中庭に設置されたプールで遊ぶ子どもたち。

福岡　ここに来ると時間がゆったり流れているのを感じます。空とつながる緑の中で誰かと話をしたり、階段に座っているだけで風を感じて気持ちよかったり。時間が切り刻まれる世の中で、それがコートヤードＨＩＲＯＯの魅力になっていると思います。

篠河　コートヤードＨＩＲＯＯは寸法や間取りを日本の標準ではなく欧米基準に合わせているので、ここを訪れた方が「洗面台の高さがちょうどいいので、新築の物件ではこれがいい」と言ってくれたり、この仕事をしたのは誰だと問い合わせが来たりするなど、次につながっていることもありがたいことです。「我々が学んだ海外の建築を日本に持って来たい」という思いもあったので、「どこか海外にいるような気持ちにさせてくれる」と言われるのも嬉しい評価です。

福岡　僕はこれが終わって、南町田のグランベリーパークのランドスケープデザインを担当させてもらったのですが、それも、コートヤードＨＩＲＯＯのおかげなんです。「First Friday」にグランベリーパークの関係者が来ていて、彼女たちと関わっていくうちに、設計を担当することになりました。スケールは違いますけど、僕のなかでは、グランベリーパークとコートヤードＨＩＲＯＯで目指している場所のデザインは同じです。商業施設と公園がつながるって今までになかった発想なので、いろんな対話を重ね、コートヤードＨＩＲＯＯの拡大版のようなものができました。ここがなかったら、ああいうプロジェクトもできなかった。「すべてが公園のようなまち」、そこでのワクワク感は、僕の中ではまさにコートヤードＨＩＲＯＯの延長です。

篠河　コートヤードＨＩＲＯＯは、近隣の方にとっても恩恵のあるプロジェクトだと思います。昔からある建物をいい形で再開発して、しかも地域の方も楽しめる。

福岡　お金じゃない価値をどうはかるか、ということですよね。青井さんは、ここをつくるときに何を一番重視されたのですか。

青井　僕は、コートヤードＨＩＲＯＯをはじめとするプロジェクトから生まれる価値観を展開していくことを重視したいと考えました。東京のみならず、世界中にいる多くの仲間と交流し、彼らとつながっていく。そして、そこから始まる新しいライフスタイルや価値観を、彼らとともに世界中に広げていきたいと思ったんです。

今まではいい物件があったらそれを貸して、家賃をいただいていた。正直そこには、0から1を生み出す発想はありません。でも、コートヤードHIROOは違う。「コートヤード文化」という欧米的なカルチャーをベースとして、そこに東洋的、日本的なエッセンスを上乗せする。そして、まったく新しい価値観を創造する。これは大きなチャレンジです。これが正しいのかはわかりませんが、「人より1円でも多く稼ぐ」という今までのモノサシから抜け出して、多くの人と共生していくことが大事だと考えています。

篠河　私たちはよく、「コミュニティをつくる」と言いますけど、コミュニティをつくるのは本当に大変な作業です。「First Friday」は非常に大きな財産だと思います。

青井　でも最初はすごい葛藤でしたよ。「金持ちの道楽」みたいな見方をされたこともありました。でもまちづくりって5年10年で完成するものではなくて、30年後、50年後とか100年のスパンで考えるものじゃないですか。僕は、まちづくりは人づくりだと思っていますが、人が育たない、人が滞留しないまちは、何の意味もないと思っています。人が来て、出会った人とあたらしい何かを生み出していく。コートヤードHIROOは今、「なんか面白い事やってる」と噂が広がって、今までにない掛け算が始まっています。唯一無二とまでは言わないですが、「First Friday」をはじめ、相当ユニークな場所に育ってきていると思います。招待状も入場料もないイベントって現代ではユニークではあると思いますが、70年代80年代ってそういうのは普通にあったと思うんです。お祭りの縁日や地域の盆踊り大会のようなものって。それを今風にアレンジしてやっているだけなんですけどね。

福岡　「First Friday」に来られる方の層が変わったとか、変化は感じますか。

青井　そんなに変わっていないですね。コアなファンと、その人が連れてくる新しい人で、だいたい一回に150人くらいでしょうか。

　僕は最初に、「東京の人口のうち、3%の3%に響くプロジェクトにしたい」という思いではじめました。東京の人口の3%は36万人ですが、こんなに多くの人を相手にするのは、超大手企業に任せればいい。3%の3%は約1万人。この人達を動かすことができたら、なにか新しい文化を生み出すことができるのではないか。一過性で終わるブームではなく、きちんと東京という土壌に根づく文化をつくれるはずだと考え、まず、このラインを目指しました。

　大きな商業施設は、東京の3%、つまり、30万人くらい集客しないとマーケットになりませんが、それをアトムが所望しても無理な話です。3%の3%は1万7千人。それくらいがいいと思える施設だといいよね、と言っています。今、年間2万人くらいが来てくれているので、ちょうどいい規模だと思っています。

篠河　青井さんは、世界中を飛び回っていろいろなものを見ていますが、私たちにとって一番やりやすかったのは、お施主様の意向がぶれなかったことです。もちろん、トライアンドエラーはありましたが、青井さんが最後までぶれなかったのは驚きに値するものでした。でも、一番驚いたのは結婚されたことでしたけど（笑）。ご結婚されたのは、コートヤードＨＩＲＯＯのおかげなんですよね。

青井　それはありますね。妻と初めて会ったのがコートヤードＨＩＲＯＯでしたので。

篠河　私は奥さんの言葉を代弁できませんが、おそらく、こういった場所をつくれて、これだけの遊びの発想が持てる人ってどんな人なんだろうと興味を持たれたのではないかな、と思います。

福岡　それに、青井さんはいつも楽しそうですよね。お施主様はリスクを考えているので、それを僕たちに不満としてさらけ出す方も多いですが、青井さんは、結構いろんなリスクをとっていてもそれを僕たちに出さず、やらせてくださる。「First Friday」も、大変なこともたくさんあるはずなのに、青井さんはいつも中心にいて楽しそうにしている。大変なこととか辛い部分をほかのひとには見せず、楽しそうにやっているのがすごいな、といつも感心しています。

篠河　デザインの過程で民主主義的なプロセスをどこまで取り入れるかというのは実は難しいんですよ。社員の意見を取り入れると、とりあえずの体裁を整えたデザインばかりになってしまう。よいデザインは、10年20年先を見据えたオーナーだからできる。そういう点では、いい意味で今回はワンマンで制御された。最後までしっかり責任を持たれたのは、すばらしいと思います。

福岡　今、富山でもプロジェクトを立ち上げておられますが、コートヤードＨＩＲＯＯでやったことがいろんなところに伝播して、いろんなところに影響を与えている。アトムに「小さいけれどクリエイティブなディベロッパー」という格付けを与えたと思います。

日本には、町全体が停滞している場所がまだたくさんあるので、青井さんにはこれからも新しい課題にむけてチャレンジしていただきたいですし、アジアのディベロッパーもここに見に来ているので、好奇心のままにいろいろ見ながら新しいことにチャレンジしてほしいなと思います。

篠河　東京も姿を変えていきますし、生産緑地が解放されて、土地も住居も今後確実に供給過多になる。東京に住居を構える人の生き方、ライフスタイルが変わってくると思いますので、青井さんには、そのあたりのトレンドメーカーとして、新しい生き方、住み方、佇まい方を東京だけでなくいろんなところで実践してほしいですね。

福岡　普段からいろいろな場所に足を運んでいますが、あまり人との会話がない。コートヤードＨＩＲＯＯはもうちょっとコラボラティブというか、いろんな人と話したり仕事をしたりできる。だから難しいですが、心に残るとか心に通じるとか、そこに熱量を加える、そういう人を引っ張ってくるという場所であってほしいです。

できるまではもちろん大事ですが、できたあとみんなでプレイスメイキングをしているのもコートヤードＨＩＲＯＯの魅力であり、面白さです。この場所は、絶対に残さなきゃいけないところだと思います。

篠河　青井さんには、我々の都市計画とか建築の教科書にも登場してほしいですよね。今後の活躍も楽しみにしています。

3章

中野から麹町へ
異業種を結ぶ一本の線

3章

中野から麹町へ
異業種を結ぶ一本の線

丸井の創業者・青井忠治には4人の息子がいる。4人はそれぞれの持ち味を活かし、あるものは丸井本社の後継者として、あるものは他企業で、その才能をいかんなく発揮している。

四男の青井忠四郎氏は長年丸井で勤めたあと、現在は不動産業の株式会社アトムで会長を務めている。現在はおだやかで、いつも一歩後ろからみんなを見守っている印象が強い忠四郎氏だが、若い頃は、大いなる「チャレンジャー」だった。

大変な環境に進んで挑戦し、そのたびに、自分もまわりにいる人間も大きく成長させてきた。

丸井創業者の息子として生まれ、「丸井」のなかで安穏と生きるという選択肢もあったはずである。なぜ、忠四郎氏は、厳しい環境に挑戦し続けたのだろうか。そして、その挑戦の歴史は、彼にどんな人生を呼び込んだのか。

青井忠四郎氏が、一体どのようにして小売業界から不動産業界に「転身」することになったのか。その歴史とドラマをお聞きした。

私は昭和62（1987）年4月に、それまで勤務していた丸井本社から、おもに丸井の家具・家電の配送とアフターサービスを行っている中野輸送株式会社に移りました。丸井では小売業界の一通りを経験させていただき、自分なりに知識や経験を蓄えたつもりでおりましたが、運送業界は人生で初めての経験でございます。従業員の気質も、会社経営のやり方もまるで違う世界に、最初は戸惑うことばかりでした。

中野輸送は丸井の配送部門が独立してできた運送会社です。最初は「丸井運輸」という名前だったそうですが、当時、丸井は販売方法の「月賦（ゲップ）」をもじって「ラムネ商売」と揶揄されていました。高級家具や家電のお届けにあがるとき、「あの家は丸井で家具を購入した」ということが周囲に分かってしまうことを嫌がるお客様もいらっしゃったといいます。そこで「中野輸送」という名前に変更したようです。

中野は、丸井本社にとっては発祥の地でもある「聖地」です。「丸井」の名前が使えないなら、聖地の冠をつける、という発想はごく自然な流れだったと思います。

丸井は月賦方式ですから、高額な商品も少ない負担で購入することができます。今はどこでも買える時代になりましたが、当時、ＧＥ（ゼネラルエレクトリック）の冷蔵庫や、フーヴァーの洗濯機など、外国製の家電を扱っている店はほとんどありませんでした。しかも国内メーカーと比べてずいぶん高額です。こうした商品を月賦で購入するお客様は、「丸井で買った」ということを隠したがる傾向にあったのです。はっきりおっしゃる方も、それとなくおっしゃる方もいらっしゃいましたが、長年丸井で接客商売をしてきた私には、肌感覚として分かりました。そこで創業30周年を機に、社名を「ムービング」へと変え、さらに「丸井色」を払拭したのでございます。平成２（１９９０）年のことでした。

ムービングは運送業ですが、ただの配送屋ではございません。現在は、ＥＣ

と店舗の在庫統合、X線検査・品質検査やプレス加工、ECフルフィルメントサービスなどさまざまな事業を行っておりますが、これは私が在籍時に、ただの運送会社からの脱却をはかったことが少しは影響しているのではないかと僭越ながら思う次第でございます。

私が在籍していた頃、社員は「一介の運転手」という扱いでした。ほぼ100％丸井の商品をお客様宅にお届けすることを生業としており、社員の間にも「たかが運送業」という意識があったのは確かです。私はまず社員の意識を変えなくてはならぬと改革を進めました。

「セールスドライバー」という言葉を日本に定着させたのは、私です。当時、ムービングの社員が、ほかの運送業者と違うのは「お客様宅に入れる」という点でした。通常、宅配便は、玄関でお荷物を渡して終わりです。しかし、ムービングが運ぶ家具や家電は「お客様宅にあがらせていただき、設置する」という特別な任務がございました。私は社員たちによくこんな話をいたしました。

「あなたたちは、ただの運転手ではない。『丸井』という看板を背負った、立派な『セールスマン』だ。家の中に入れることは、ビジネスマンにとって大きなチャンス。お客様に信用していただき、家の中にいれていただけるということを決して忘れず、洗濯機を設置するとき、ぜひその家の家具や家電を見て、奥様とお話しして、ニーズを探る努力をしなさい。売ることが目的ではない。お客様が何かお困りのことはないか、それを丸井の商品で解決できることがあるのではないか。そういう目線で、お客様のために考えなさい」

今、家電量販店で家電を購入すると、ほぼ「無料設置サービス」がついておりますが、あの概念を広めたのも、実はこのムービング時代の私ではないかと思っております。家電の値段が下がり、「無料設置サービス」が店側にとって重い負担になりつつある昨今の状況を鑑みますと、大変申し訳ない気持ちになることもございます。ネット販売の猛威など、時代の変化に合わせて、提供したサービスにはきちんと代価をいただく、という方向に切り替えていくことも、今後は必要になってくるのではないかと思います。

日本は超高齢化社会が急速に進んでいます。ＡＩの台頭や人手不足で、このままいけば20年、いえ、10年後には「ドライバー」はなり手がいなくなってしまうのではないかともいわれています。しかし、たとえば、ロレックスの時計やハリー・ウィンストンの宝石、エルメスのバッグなどの高級品を購入することを考えてみてください。実物も見ずにネットでクリックして、ドローンに自宅まで届けてもらうのと、商品知識を持った専門員が一流の接客をしてくれる店で、実際に目で見て、手で確かめて購入するのと、どちらをお望みでしょうか。答えは歴然でしょう。

ネット通販が隆盛を極め、今日注文した商品が明日自宅に届く時代ですが、それもみな、自宅まで配達してくれるドライバーのみなさんがいてこそです。彼らがいなければ、日本経済の繁栄はなかったでしょう。「ただの配達屋ではない。知識と接客のスキルを持った、セールスドライバーなのだ」というプライドを持つドライバーが増えれば、ドライバーになりたいという若者も増えるはずです。私は今でもムービング時代の仲間たちと年に数回お酒を飲む機会を大事にしていますが、「青井さんのおかげで、今の人生がある」と言ってもらえることが一番嬉しいです。私も、彼らから多くのことを学ばせていただきました。ご縁というのは、本当にありがたいものでございます。

ご縁といえば、ムービング時代、縁あって、同じ丸井の子会社のエイムクリエイツという会社に出向したことがございました。この会社は、昭和34（1959）年、丸井の店舗内装・広告部門の充実強化をはかるため、「株式会社丸井広告事業社」として設立されたのがはじまりです。その後、昭和63（1988）年に「株式会社エイムクリエイツ」と社名変更をし、現在まで業界の第一線で幅広いお仕事をさせていただいております。

エイムクリエイツでは、店舗内装などにも関わらせていただきました。現在、ニトリさんやIKEAさんなどで家具の展示販売をする方法として、使用部屋のイメージを作り込む「シーン展示」が主流になっておりますが、日本にその「シーン展示」が広まるきっかけを作ったのは、間違いなく、エイムクリエイツ時代に私が丸井店内に手がけたのが発端であると思っております。今でもニトリの会長さんにお会いすると、「青井さんの展示方法には、本当に勉強させていただいた」と感謝されることがあり、こそばゆい気がいたします。

エイムクリエイツは、いわゆる「広告業」ですから、武骨で生真面目な運送業の体質とは、まるで異なる世界でした。4年間勤めさせていただいた間、取引先の接待も多く、ゴルフとカラオケが上手になったのは役得でございましたが、ムービングに戻れたときは、「故郷」に帰ったようで、大変落ち着いた思いがしたものでございます。

平成18（2006）年3月、私はムービングの社長を退任し、相談役に就任いたしました。その後、不動産関係業務を行う会社として設立された豊島興業株式会社に就任。息子の茂とともに、不動産管理業務を軸に、国内外問わず新分野の事業に乗り出し、平成21（2009）年には社名を「株式会社アトム」に変更いたしました。その後、平成24（2012）年には本社所在地を麹町に移転。現在は、時代を先取るさまざまなプロジェクトにも挑戦しております。

今、アトムは息子・茂の時代です。アメリカのダグラス・マッカーサー元帥は、「老兵は死なず、消えゆくのみ」という言葉を残したといわれていますが、今の私は、まさにそんな心境です。


コートヤードＨＩＲＯＯの話を最初に聞いたときは、大変な驚きでした。我々の価値観では、絶対に出てこない発想だからです。でも結果的に、それがよかった。つまり、私と同じ価値観の人間は、これからの時代、必要ないということなのです。我々とは違う価値観の人がこれからの時代をつくっていきます。ですから、そういう人を集めて、新しい組織体をつくっていくことが、これからの企業が生き残る条件となることでしょう。

コートヤードＨＩＲＯＯは、訪れる人をワクワクさせる力があります。ワクワクドキドキしているところに人は集まります。「こんな一等地にこんなすごい空間をつくって、アトムは面白いことをするじゃないか」と、興味を持ってくれた企業や法人と、新しいパートナーシップが生まれる機会も増えています。

今の時代はインターネットの時代ですが、「フェイスtoフェイス」に飢えている人が逆に増えているのではないかと私は思っています。コートヤードＨＩＲＯＯのように、出会いがあり、人々が親しくなれる場所が日本各地に増えたら、きっともっと多くの人の笑顔を生み出すことができるでしょう。手始めに、次の展開は青井忠治の生まれ故郷・富山で考えています。


過去を変えることはできません。でも、未来を創ることは、誰にでもできます。かつて忠治さんは、「大きな買い物を少ない手持ち金で買う」という概念を日本に浸透させました。そのＤＮＡは、私に、そして息子の茂に、確実に受け継がれていると思います。

丸井創業者の青井忠治は、私にとって、父親というより「社長」という存在でした。親子といえども師弟関係を結ぶ相撲の世界と似たような部分があるのかもしれません。息子は、生きている時代が違いますし、そもそも、創業者で

第2アオイビル（現U-GUARD新宿）の起工式で
創業者・青井忠治（左）と忠四郎会長。

ある忠治さんを知りません。ただ、創業者のスピリットは確実に息子・茂のなかに受け継がれていると確信しています。

心配な面はありますが、それは世間の親なら誰でも同じですよね。「丸井」という大きなバックボーンがあるのだから、うまく活用しろよ、ということは息子によく言っています。減らすか増やすかは彼次第。私はそれをただ、見守るだけです。

茂がなぜ、これほどまでの富山愛を持っているのか、私には分かりません。幼い頃から、私が父親（忠治）のお墓参りに行く姿を見たり、人から忠治さんの話を聞いたりしたことが影響しているのは間違いないにしても、忠治さんや私のように、根っからのビジネスマンで、そして根っからの「人間好き」なんだろうと、私は思っています。

ビジネスの先輩として、父親として、ひとつだけ私が言えるのは、「いい仲間を持て」ということです。ビジネスは決してひとりではできません。たくさんの仲間たちと、新しい未来に向かって、悔いのないようこれからもがんばってほしい。それが、2代目から3代目に伝えたい、すべてです。

4章

既成概念をくつがえす
スポーツとアートと人の縁

4章

既成概念をくつがえす
スポーツとアートと人の縁

青井茂の最初の夢は、プロ野球選手になることだった。

学生時代の青井は、プロをめざし、野球の練習に打ち込んでいたこともあったという。しかし一方で親や周囲の期待に応える「優等生」であることもやめられなかった。

そんな青井に転機が訪れる。30歳のとき、趣味で続けていた野球で大怪我をしたのだ。幸い命に別状はなかったが、手術を繰り返し、満足に歩くこともなく1年以上を自宅で過ごすことになった。

以来青井は、自分の「宿題」を考えるようになる。人には何か、持って生まれた使命があるのではないか。それを果たすために、人は輪廻転生を繰り返すのではないか――。こう考えた青井は、祖父の遺したDNA・青井忠治イズムを次の世代へ手渡すことが自分の使命だと考えるようになる。そして、次世代に「青井忠治イズム」を伝えていくことが、青井の次の夢になった。

青井が作ったコートヤードHIROOには、「まったく新しい価値観を創造する」という、0から1を生み出す発想がある。ここは今、アート、スポーツ、ビジネスパートナーなど、さまざまな「仲間」たちが集う場となっている。

不動産業界にとっては大きなチャレンジだったコートヤードHIROOだが、日本にクレジットカードの概念を普及させた青井忠治の「イズム」に従えば、正しい進化だったことがわかる。

青井茂の祖父・青井忠治は、戦後の何もない時代に、「1万円のものを月々1000円の分割払いで売る」月賦ビジネスを成功させ、日本に「クレジットカード」を普及させるという偉業を達成した。これは時代にあった機能的なビジネスだったと孫の青井茂は評価する。しかし同時に、「月賦商売は機能的ではあるが、情緒的ではない」とも青井は言う。

「とくに現代の成熟した社会においては、機能的なことよりも情緒的である方が評価される。忠治さんにあって僕にないものはたくさんあるけれど、たった一つ僕が忠治さんに勝るのは、世界を見渡す余裕があること。そこは僕の強みだと思う」と青井は分析する。

「忠治さんの時代は、たとえば海外留学だって今の月旅行くらいの感覚だったと思います。今は誰もが気軽に海外旅行に行く時代です。そんな時代を生き残っていくためのカギは、僕はアートとスポーツにあると思っています」

コートヤードHIROOの3階には、「ガロウ」という名前のギャラリーがある。旧厚生省の官舎の天井をぶち抜いた広々としたこの空間では、1ヵ月ごとにさまざまなアーティストの展覧会が開催されている。

青井が次に描くのは、どんな夢だろう。

青井茂の手記

いいアートは、光って見える。理由は分からないが、おそらく制作の熱量が伝播しているのではないかと想像する。「生みの苦しみ」とか、制作の準備や苦労、そこにたどりつくまでの変遷、そういったすべてのものが、作品にあらわれているからではないだろうか。

現代はデジタル時代だが、ものが持つ迫力は、スカイプやＬＩＮＥでは絶対に伝わらない。人と人、人とものが接することで生まれるスパークや情熱は、たとえ最新のテクノロジーでも補えるものではないと僕は思う。

今、僕は、洋服にあまり興味がない。仕事では「制服」だと思ってスーツを着ているけれど、基本的にＴシャツとジーンズがあればそれでいい。若い頃はブランド品が好きだったこともあったが、あるときふと、そんな自分がたまらなくカッコ悪く思えたのだ。そして、無意味に外側を飾るのではなく、自分にとって唯一無二のものがほしくなった。それがアートだった。

僕にとって、アートは作家のパワーをみるリトマス試験紙だ。アートには不思議な力がある。

アートの世界に入り込むようになった僕は、アートの歴史も勉強したくなった。ヨーロッパの宮廷文化や、歴史遺跡を彩るアートを考えても、美術史は実に奥深い。100年200年単位で存在し、人々の心を豊かにしてきた。僕はこのアートこそ、まちづくりの「要」になる存在だと考えている。

そんななか、ご縁から東京藝術大学の学生たちの作品を観る機会に恵まれた。若いアーティストの卵たちからは、果てしない才能を感じる。

僕の尊敬する人のなかに、株式会社丸沼倉庫代表取締役社長・須崎勝茂さんがいる。彼は1980年代に「丸沼芸術の森」を設立し、芸術家を目指す若者たちに、制作の場となるアトリエを提供した。ここから現代日本美術を代表する村上隆氏をはじめ、彫刻・陶芸・版画・絵画など、ジャンルを超えた数多くの芸術家が生まれた。彼は文化振興を通し、地域社会へも大きな貢献を果たしている。

僕はアートディーラーではないので、彼らの作品を売ることはできないけれど、買うことはできる。また、須崎さんがなさったように、彼らの活躍の場を作り、彼らがアート作品を生み出すサポートをすることもできる。僕がおじいちゃんになったとき、サポートした芸大生の誰かが世界で活躍するアーティストに育ってくれたら、僕はそれだけで嬉しく誇りに思うだろう。

スポーツも、僕にとっては人生に欠かせない大事な要素だ。

僕は子どもの頃、本気でプロ野球選手になりたかった。才能も努力も覚悟も圧倒的に足りなかった僕は、プロ野球選手にはなれなかったけれど、同じ事をやり続けることの大切さや、勝負の厳しさ、仲間との絆など、スポーツから教わったことは数え切れないほどたくさんある。

その「スポーツ」を、新しい文化醸成の材料にする取り組みも、いよいよス

コートヤードHIROO 3Fにあるアート空間
「ガロウ」。

タートする。

祖父・青井忠治の生まれ育った「富山」と、アートとスポーツ。僕がめざすのは、これらの僕が大事にしているものをかけあわせ、誰も見たことのない、すごい世界を実現させることだ。多くの大事な「仲間」たちと共に。

「何をするかより、誰とするか」

挑戦が今、始まる。

東京藝術大学美術学部絵画科油画専攻4年・菊池崚汰氏の手記

青井さんとは、2018年の3月に「A—TOM ART AWARD※」の作品をコートヤードHIROOのギャラリーで展示させていただいてからのお付き合いになります。青井さんとは、お互いにいい影響を与えあうことができる関係だと思っています。

僕はA―TOM ART AWARD第1回の受賞者なのですが、初対面のとき、青井さんのことを「元気が溢れていて、フレッシュな人だな」と思ったのを覚えています。僕はそれまでに、コンペなどにも作品を出したことがなく、親や身内以外から認めてもらった経験がなかったので、青井さんという、僕のことをまったく知らない方が、純粋に作品だけで選んでくださったということがとても嬉しかったです。

A―TOM ART AWARDの後、懇親会で僕がシャンパンのボトルを開けようとしたら、青井さんが「あなたたちはアーティストなんだから、そんなことは僕にやらせてくれればいい」と言って、さっとシャンパンを奪って開けてくれたんです。こんなスマートな大人がいるんだなと感動しましたし、『アーティスト」として扱ってもらえることにも、すごく喜びと自信を抱きました。

青井さんは、とても人情深く、人との縁を大切にされる方です。大人数のお酒の場では気さくで適当な元気なおじさんですが、アートを語るときは真剣に話を聞いてくれて情熱的です。スイッチの切り替えがとても上手な方だと感じます。

2年前、居酒屋でA—TOM ART AWARDの懇親会を開催してくださったときに、「自分だけ楽しくてもしょうがない」と笑顔で言っておられたのがすごく印象的で、愛情深い人だなと感動したのを覚えています。普段はラフにみせているけど、垣間見える人に対する愛情や人情深さはとても深く印象に残っています。

青井さんに出会って、僕自身アートに対してより本気に、真摯に向き合えるようになりました。いろいろな人と出会い、話をしたことで、生半可な気持ちではやっていられないと覚悟が決まったように思います。青井さんから「きみたちは就職なんかしないでアーティストとしてやっていけばいい」と最初に言われたときは「社会経験も必要なんじゃないか」と思っていましたが、本気で「アーティスト」として扱ってくれる人が一人いることで、「こんな生半可な気持ちで、人の心を動かせる作品が生み出せるはずがない」と思えるようになり

「安らぎ」（菊池崚汰）

ました。これは、僕にとって大きな進化です。明日生きることに精いっぱいの人間がいるなかで、アートに対して真剣に悩めるって、実はすごく贅沢なことなんですよね。青井さんのおかげで、アートに真剣に向き合う覚悟ができ、「生きる場所」を与えてもらったと思っています。そういう意味でも、青井さんのことはすごく尊敬していますし、心の支えにもさせてもらっています。

いつか、たくさんの人に認められるアーティストに成長して、青井さんに「私が育てたんだ」と大きな顔をしてもらえるようになりたい。

その日のためにも、青井さんには、ハートとアートで素敵な美術館を建造してほしいですね。あと、若手作家向けのアーティスト・イン・レジデンスをやってくれるとすごく嬉しいです。

※A—TOM ART AWARDとは
コートヤードＨＩＲＯＯを運営する株式会社アトムが、東京藝術大学社会連携センター・伊東順二特任教授と共に２０１７年に創設した賞。若手アー

ティストの育成を図るとともに、企業と大学がコラボレーションして文化事業の創造を目指している。東京藝術大学で行われる藝祭に展示されている数多くの作品の中から、青井茂が直感的に「これは！」と閃いた作品が選出される。受賞者には副賞として賞金が贈呈され、グランプリに選ばれた学生は、香港で開催されるアート・バーゼル香港への旅行も授与される。

東京藝術大学美術学部絵画科油画専攻2年・李《イ》晟《セイ》睿《イエ》智《ジ》氏の手記

私がA─TOM ART AWARD受賞候補に上がった時期に、大学で青井さんが講義をされる機会がありました。当時の私は、美術学生にうまい話を持ち込んで来る大人を信用していなかったので、青井さんの講義を聞いても、ただ「ビジネス界で成功されている方が話をしに来ている」という印象しかありませんでした。

でも、一対一でお話をする機会が増えるうちに、明るく、フランクで、アーティストとしてスタート地点にも立てていないような我々学生に対して、真摯に向き合い話をしてくださる青井さんのお人柄が伝わってきて、「人としてとてもかっこよく、いい意味で少年みたいに明るい大人」という印象に変わっていきました。

青井さんには、作品を買っていただいたことがあります。青井さんはお会いした当初から学生の我々に「海外に行け」と口癖のようにおっしゃっていました。「制作したり、海外に行くお金が無ければ、相談して。もちろん、直接お金を渡すことはできないけれども、君たちの作品を買うことはできるし、力になれることもあると思う」と青井さんに言っていただいたことは、強烈に印象に残っています。

青井さんは、私たちに、売り込みやプレゼンの重要性を伝えたかったのだと思います。作品を買っていただいたことで、青井さんが本気で学生の未来に期待してくれているのだということが分かり、たとえ学生であっても、アーティ

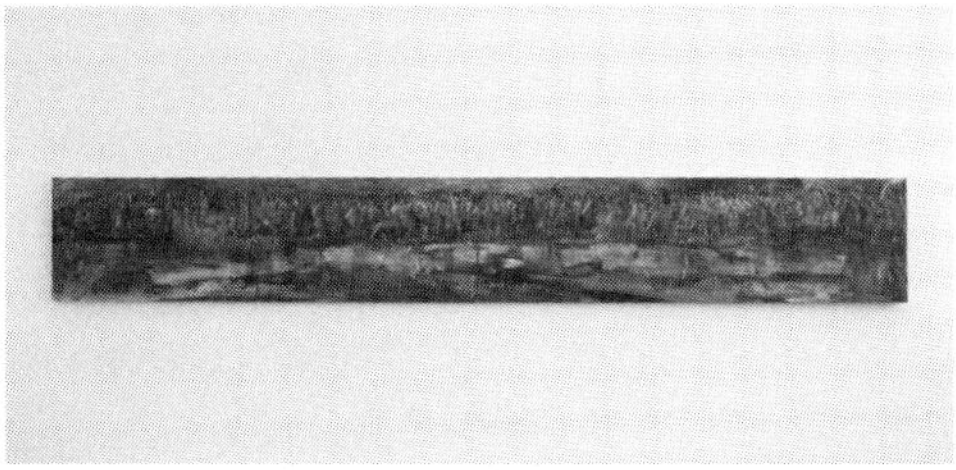

「Self-Reflection」(李 晟 睿智)

ストとして活躍していくことができるよう本気で支援してくださる方なのだと、これまで以上に尊敬の念を抱きました。

青井さんはいつも仕事を楽しみ、人と関わることを楽しんでおられる印象があります。自分の将来のことで自信が持てなかったり、勇気が出なかったりするとき、ほんの少しお会いするだけで「頑張るか〜」と肩の力を入れすぎることなくゆっくり前向きになれる自分がいます。そういう青井さんの生き方は、真似したいと思いつつ、私には真似できないと思う面でもあります。

青井さんに最初にお会いした頃、私は日本でアーティストとしてやっていくという道が思い描けず、先の見えない将来を不安に思うあまり、就職を考え始めていました。でも青井さんとそのまわりにいらっしゃる方が、みなさんあまりにもバイタリティーに溢れていて、純粋にこういう風にカッコよく仕事をしていけたらいいなと思ったことを覚えています。


青井さんにお会いする度に、自分の緩んだ気持ちを引き締めてもらっている気がします。直接制作や、将来の話をするわけではありませんが、何気ない会話のなかからも、期待してもらっている、ロングスパンで見てもらっていることが伝わり、また頑張ろうという気持ちが溢れてきます。自分に大きな自信が持て、アーティストという職業に夢を持てるようになったのも青井さんのおかげです。

青井さんは、人間同士の化学反応を楽しんでおられるように感じます。海外ではアーティストは尊敬される職業ですが、日本の美術業界は、分野によってはいまだに閉鎖的で、アーティストという存在もお金を稼ぐことのできない職人気質なものというイメージが根付いているように感じます。青井さんには、日本の中でのアーティストの立場を、より夢のあるものに向上させるべく、化学反応が起こる場所やイベント、ファウンデーションを作っていただくことを期待しています。あと、思う存分制作ができる大きなスタジオも、ぜひ実現させてください。

東京藝術大学絵画科日本画専攻3年　髙橋健太氏の手記

A―TOM ART AWARDにてグランプリに選んでいただいたのが去年。アート・バーゼル香港にも連れていっていただきました。その後、コートヤードHIROOでの展示や、お食事などでご一緒する機会をいただいています。

アワードの選出を受け、顔合わせの前に大学でのゲスト講演を聴きに行きました。そのときはビジネスマンらしいしっかりとした方なんだな、という印象しかありませんでしたが、その後の顔合わせで、まわりに対する気配りや、周囲の人を笑顔にしようという心意気などにふれ、こちらまで元気になるようなエネルギーをいただきました。

青井さんの尊敬する部分は、どんなときでも笑顔を絶やさないところです。辛いことや疲れなどを決して表に出さず、まわりを気遣えるのは、僕にはまだまだ真似できないところです。

香港に行ったとき、いろいろな失敗をして気分が落ち込んでいたのですが、青井さんに話したら「失敗できてよかったね。それが経験だよ」と、あっけらかんと言われ、思わず納得してしまいました。経験豊富な青井さんでも、これまでの人生のなかでたくさん失敗されてきたのだな、でもそれを糧にしてこられたのだろうな、と想像できて、逆に元気になりました。

もともと私はネガティヴで、少し挑戦的な自分の作品にも自信がなかったのですが、評価をいただいたことで「自分を曲げなくてもいいんだ」と自信が持てるようになりました。失敗を糧にして成長する思想も、青井さんから教わったことです。

信じられないほどエネルギッシュで活力がある青井さん。これからもたくさんの仲間たちとともに、たくさんのことを手がけてほしいと期待しています。あ、でも、まずは格安アトリエの実現から、ぜひお願いします（笑）。

コートヤードHIROO 3Fの「ガロウ」で談笑する青井茂とA-TOM ART AWARDを受賞した学生たち。

千葉ロッテマリーンズ　石川歩投手の手記

２０２０年１月10日、僕は青井茂さんと、北日本新聞社代表の駒澤信雄さんと一緒に、新しいまちづくりをする「富山まちづくり会社　株式会社ＴＯＹＡＭＡＴＯ（トヤマト）」の設立記者会見に登壇させていただきました。

この会社の設立目的は、富山市中心市街地に新たな価値創造事業のハブ施設を設置し、ホテル、飲食、アート、スポーツ、イベント、旅行など、さまざまな切り口で富山の魅力の最大化をめざすことです。なぜプロ野球選手の僕が実業家や新聞社と一緒に事業を行うことになったかというと、青井さんとの「富山」つながりがきっかけでした。

そもそも、僕は、野球を辞めたら出身地の富山に帰りたいとずっと思っていました。今でこそ、富山からプロスポーツ選手が誕生していますが、以前はプロ野球選手をはじめ、第一線で活躍する富山出身のプロアスリートは皆無でし

TOYAMATOと青井茂への思いを語る
石川さん。

た。また、「地方あるある」ですが、僕の子ども時代には、地元でプロ野球の試合もなかったし、プロ野球選手と会える機会など、ほぼありませんでした。だから、僕はプロ野球選手になれたとき、できるだけ地元に帰り、地元の子どもたちと直接ふれあう機会をつくろうと心がけてきました。

僕が富山で子どもたちに教えるのは、富山愛からだけではありません。僕は高校時代、本当にパッとしませんでした。でも、大学でよいコーチに出会い、練習の仕方から球の投げ方まですべて教わり直し成長できました。そこから球速が伸び、制球力が高まって、プロ野球選手になることができたんです。

僕の夢は、「第2の石川歩を富山から輩出する」ことです。僕が教わったメソッドや技術を、次世代の富山の子どもたちに伝えていきたい。それが、プロ野球選手として、僕が富山にできる恩返しだと思っています。

そうした思いの中、新人王を獲得した翌年から地元金融機関とのコラボレーションで野球教室を開催していたのですが、一回の教室で300人という大人

「富山」を軸につながった石川さんと青井茂。

数で、本当に「ふれあいの場」にしかなっていないことが気になっていました。そんな話を青井さんに伝えたら、「じゃあもっと少数精鋭で、石川さんの野球メソッドを伝える機会をつくろうよ」と、「石川歩ピッチャーズアカデミー」というイベントを企画してくれたんです。青井さんとは、富山を盛り上げよう！と、「富山ホワイトシュリンプス」というクラブ活動の延長のようなことも、ずっと一緒にお手伝いさせていただいておりましたので、そのなかの一イベントとして、石川歩ピッチャーズアカデミーが行われることになりました。

今度、新しく作る会社での僕の役割は、もちろん「野球」です。野球を通して、子どもたちに野球の楽しさや、技術を習得する方法を伝えたいと思っています。

僕はこれまで、野球しかやってきませんでした。でも、青井さんは、僕のセカンドキャリアも考え、今度の会社設立でビジネスに関わることが、僕の人生にとってプラスになると後押ししてくれました。

僕が担当する「石川歩ピッチャーズアカデミー」で教えた生徒が、たとえプロ野球選手にはならなかったとしても、その人の子どもや孫が野球を好きになってくれて関係性が続いていく。そういう未来に「つながる」ことが希望です。

大学時代、プロ野球選手になるということは僕の人生の最終目標でした。その目標を叶えた今は、「プロ野球選手」という立場を最大限使って、富山の発展と子どもたちのスポーツ振興の力になりたいというのが僕の新たな目標です。そして自分が動くことで、どんどん仲間を増やしていけたらいいなと思っています。

青井さんは、僕と富山に新しい「人生」をプレゼントしてくれました。この素敵な贈り物を最大限活用するため、これからも全力で挑戦し続けたいと思います。

石川歩／１９８８年生まれ。富山県魚津市出身。中部大学、東京ガスを経て、２０１３年ドラフト1位で千葉ロッテマリーンズに入団。２０１４年、富山県出身者として初の新人王となる。２０１６年には、最優秀防御率を獲得。２０１７年ＷＢＣ日本代表。オフシーズンには、子どもたちに野球指導を行うなど、スポーツと野球振興と富山への貢献にも力を入れている。

5章

昭和から平成、令和へ
「丸井」が教えてくれたこと

5章

昭和から平成、令和へ「丸井」が教えてくれたこと

昭和35（1960）年、丸井は、日本ではじめて「クレジット」という名称を用いた「クレジットカード」を発行した。このクレジットカードは、現在使われているものとは異なるが、それまで「月賦販売」と呼ばれていたイメージからの脱却と、上位顧客（返済可能な客）の取り込みに成功したといわれている。その後、日本ダイナースクラブと日本クレジットビューロー（現在のJCB）がクレジットカード業務に着手。富裕層を中心に、日本中にクレジットカードが広まっていった。

今や、クレジットカードは生活に欠かせないアイテムだ。一般社団法人日本クレジット協会の発表によると、2017年3月末のクレジットカー

ド発行枚数は、約2億7000万枚。日本の総人口が今、1億2602万人(2020年1月20日総務省公表)なので、単純計算で国民一人当たり約2・7枚のクレジットカードを保有していることになる。この発行枚数は増加傾向にあり、2023年度には市場規模が約101兆円に達すると予想されている。

ここ最近は、スピーディーに会計処理が行える電子マネー決済が広がり、現金が使えない飲食店なども見られるようになった。果たして「クレジットカード」を日本に最初に持ち込んだ、丸井の創業者・青井忠治氏は、こんな時代がくることを予想していただろうか。

「景気は自らつくるもの」と言い、どんな苦難や逆境にも負けず、前を見て挑戦し続けた青井忠治氏。そんな忠治のもとで、ビジネスマンとして、また人間としての成長を遂げた忠治の四男・青井忠四郎氏に、丸井時代の思い出話を聞いた。

昭和40（1965）年、大学を卒業した後、私は父親・青井忠治が興した丸井に入社しました。今でこそ学生から「入社したい企業」といわれる丸井ですが、当時は、販売方式の「月賦（げっぷ）」から、「ラムネ屋」と呼ばれていたくらいですから、大卒で入社を希望する人など、ほとんどいませんでした。

そんな時代と状況のなか、私が最初に配属されたのは「集金部」でした。毎日自転車でお客様のご自宅を集金にまわるのです。これが、私にとって商売の「原点」となりました。

父が月賦商売をはじめたのは、月賦屋で働いていた経験を生かして独立したという理由のほか、出身地の富山に、江戸時代から続く「置き薬」の文化が根付いていたことも影響しているのではないかと私は思っています。置き薬（現在の「配置薬」）は、各家庭や企業に「薬箱」を預け、使った分だけのお金を後から集金に行く「先用後利（せんようこうり）」という独特の販売方法で300年以上も続いてきた商売です。お金はない、でも品物を手元に置きたいというニーズに応え、支払いは後から少しずつという「クレジット」の概念は、この「先用後利」の考え方と通じるところがあるように思います。

丸井は最初、家具を中心に販売していました。大きな家具は、自分で持ち帰れず、ご自宅に届ける必要があるからです。つまり、確実に集金に行けるよう「持ち運べない」商品を売った、ともいえます。

月賦販売では、たとえば1万円のものを月々1000円の支払い約束で売るわけです。見も知らない人に1万円を貸すわけですから、「度胸」が必要です。昔は信用調査などございませんでしたから、我々はよく「ズボンの線がしっかりついているか」「しっかりした靴を履いているか」など、人相や身なりから相手の経済状況を推し量ることを学びました。

一番売れなかったのは靴です。その頃は安い靴が主流で、すぐに壊れてしまうものが多かったのです。分割の集金に行くと、「もう壊れているから残りは払わない」と言われたり、「お前のところはすぐに壊れる靴を売っているのか。金返せ」と怒鳴られたりしたものです。その結果、一流の品物でなければ月賦での回収が難しいということを、私たちは学びました。

しかし、キャノンのカメラやセイコーの時計など、換金性があるものはいけません。質屋に流れてしまい、回収できなくなるからです。何を販売するかは、実はかなりデリケートな問題だったのです。

集金部の後は、商品部で仕入れも経験させていただきました。当時、まわりの百貨店は、自分たちで仕入れというものを行っていませんでした。百貨店はただ場所をメーカーに貸し、場所を借りたメーカーが仕入れから販売、接客まですべて自分たちで行っていたのです。一方、丸井は私が入社する以前から、自分で仕入れを行っていました。私は商品部の部長として、日本中のメーカーをまわり、数多くの商品を仕入れてきました。「百貨店ブランド」の威光が全盛だった当時、「丸井なんかに商品は入れない」と言われたこともございました。百貨店同士ですら、「あの百貨店がエルメスを入れたなら、うちはシャネルを入れる」と競争していた時代です。それでも私は、自転車で一軒一軒お客様宅を

自分自身の体験をふまえ、「丸井」の商売の
原点を語る忠四郎会長。

集金に回っていたことを思い出し、歯を食いしばって地道にメーカーをまわり、仕入れ先を広げていきました。

そんななか、ソニーの創業者である盛田昭夫さんとの出会いがございました。当時ソニーは開発した「ウォークマン」が売れずに困っていました。そこで、私は盛田さんに「丸井なら売れる」と交渉したのです。家電量販店が登場する以前、電気製品は大阪では日本橋、東京は秋葉原で購入するのが当たり前の時代でした。電気街では月賦での買い物ができませんが、丸井なら、手が出にくい高額の電気製品も、月々少しの負担で購入することができます。私には、ウォークマンは絶対に売れるという確信がありました。

そんな私の予想通り、ソニーのウォークマンは飛ぶように売れました。仕入れから販売に異動していた私は、必死でウォークマンを売りさばきました。おそらく、私は日本で最もウォークマンを売った販売員ではないかと自負しています。オメガやロレックスの時計も大量に売りましたし、フランスベッドは1日で600台を売ったこともございます。あの頃は、仕事が面白くて1日が24

時間では足りないくらいでした。パナソニックの創業者、松下幸之助さんのところにも仕入れに訪れ、工場にまで行かせていただいたこともございます。当時の創業者の方たちはみな亡くなってしまいましたが、日本経済史に名を残す偉大な方々と、対等に商売をさせていただいた経験は、私を大きく成長させてくれたと感謝しています。

自転車で集金に行っていた頃、払ってくれないお客様がいらっしゃいました。そういうとき、私たちは会社に戻り、販売担当者に「あなたが販売した客が金を払ってくれない。あなたは見る目がない」とクレームを入れたものです。その部署を経て、今度は自分が売場担当者となってお客様に売るとなると、なかなか売れないものなのです。やっと売れたと思ったら、集金係から「お前の売った客から集金できない」と文句を言われる。散々でしたが、集金の苦労を体験している私は、「集金係に大変な思いをさせないように、しっかり売ろう」という気持ちになれました。これは、私に集金の経験がなかったら、きっと分からなかったことだろうと思います。

　販売の次に私が任されたのは、新宿店の店長でした。創業者・青井忠治には4人の息子がおりますが、その4人の中で、自転車での集金業務と、店舗の責任者を任されたのは、私だけでした。父が何を考えていたのかは分かりません。でも私にとっては、集金も店長も、ビジネスにおいて、そして人生において、貴重な財産となったことは間違いございません。

　私が新宿店の店長になった頃も、相変わらず百貨店の隆盛は続いていました。「丸井ごときにいい商品は卸さない」と、いい商品を回してもらえない状況も相変わらずでした。そこで私は、「一流品を仕入れられないのなら、別の一流品を作り出そう」と、知恵を絞りました。まさに、忠治さんがいう「景気は自らつくるもの」の精神です。

　友人のコシノジュンコや、「メンズファッションの神様」と呼ばれた石津謙介らに協力を仰ぎ、「デザイナーズブランド」を立ち上げました。後に「ＤＣブランド」と呼ばれるファッションカテゴリと文化を生み出したのです。

1970年代後半、それまでファッション市場に流通していた既製服に飽きた若いデザイナーたちは、小規模な生産体制で、既製服にない新しい洋服を作っていました。彼らは売る場所を探していましたが、百貨店は「場所貸し」でしたから、場所代も払えず、制作から販売まで一人でこなしている彼らには、販売や接客のための人員を出すこともできません。そこで私はデザイナーの友人たちに「俺が在庫も全部買い取るから、丸井で販売してみないか」と声をかけたのです。友人たちはみな、「青井ちゃんが場所を貸してくれるなら、売りたい」と喜んで協力してくれたのです。

折しも、店舗の老朽化で建て替えをしなくてはいけないことになり、「ここがチャンス」と判断した私は、建て替えを機に取扱商品を刷新。丸井新宿店を「DCブランド」の旗艦店と位置づけたのです。

そして私は、この改装も商売に生かしました。店内にあった在庫品を「売り尽くしセール」と銘打って、格安で販売したのです。今では当たり前のように「売り尽くしセール」「閉店さよならセール」の文字を見ますが、当時同様のセールをしている百貨店はありませんでした。

小売業では「開店した日の売上げは生涯抜くことができない」というのが常識です。開店した日が一番売上げが高く、あとは落ちる一方という意味です。しかし、丸井の新宿店は、この「売り尽くしセール」効果で、閉店が開店を上回ったのです。これは業界に大きな反響を呼びました。

生まれ変わった丸井は、「ＤＣブランド」で一躍時代の寵児になりました。ブームはまさに、台風のようでした。丸井を中心に、まわりにとぐろを巻くように人垣ができ、ときには警備員が必要なほどでした。

当時ライバルで、今はよき話し相手になっている三越や伊勢丹のかつての役員の方々と一緒に飲むと、必ず「ＤＣブランド」時代の話で盛り上がります。

「当時の青井ちゃんの店、羨ましかったんだよ。俺の店には客が来ないけど、お前の店には行列ができていたからな〜」なんて話をしながら交わす酒は、まことにおいしい気がいたします。

「DCブランド」のあとに私が手がけたのは、キャッシングでした。同時に、丸井のコーポレートカラーを赤に変えました。当時、金融業界で「赤字」を想起させる赤はタブーとされていました。私どもは名前が「青井」ですから、ブルーのカラーバリエーションも作成してみたのですが、やはりピンとこない。ここは赤でいこう、と「赤いカードの丸井」を前面に出していきました。

そのあと、大手の三菱銀行（現在の三菱UFJ銀行）さんがコーポレートカラーを赤に変えたときは驚きました。後日頭取に「丸井さんと同じ赤にしたよ」と言われたときは、大変光栄に感じたものです。

丸井では、集金から始まり、仕入れ、販売、店舗経営と、小売業界に必要な知識と経験を得させていただきました。今の私、そしてアトムの成長があるのは、すべて丸井のおかげです。

早いもので、「新しい会社」だったアトムももう、創立60年を超えました。アトムはつねに進化を続け、今後もまたさらなる「挑戦」に向かって進んでいく予定です。かつて私が丸井でさまざまなことにトライしてきたように、息子の茂にも、自分を信じ、自分を信じてくれる仲間を信じ、前に進んでほしいと願っています。

6章

自分と時代に挑み続ける挑戦者
人間・青井茂伝

6章

自分と時代に挑み続ける挑戦者
人間・青井茂伝

青井茂は不思議な男だ。彼のことを悪く言う人に、出会ったことがない。

人間はたいてい、二面性を持っている。仕事のできるビジネスパーソンが実は意外と繊細な面を持っていたり、おとなしく柔和な人が頑固な一面を持っていたりすることは、よくある。しかし、青井茂に限っては、裏も表もない「青井茂」という人物でしかないように見える。

「明るくて、一緒にいると楽しい」
「アイデアや話題が豊富」

「いつも新しいことに挑戦している」

青井茂を知る人は、口をそろえてこう評価する。日本を代表する老舗企業・丸井の創業者家系に生まれ、何不自由なく育った「本物」のジェントルマン・青井茂に、「ダークサイド」は存在しないのか。そして、そんな「青井茂」をつくりあげている根幹は、一体どこにあるのか。青井茂の周囲にいる人々へのインタビューを通して、「人間・青井茂」の真実に迫る。

株式会社電通　クリエーティブディレクター・アートディレクター
田中元《たなかげん》さんの場合

青井さんと最初にお会いしたのは、コートヤードHIROOができて少し経った2014年頃でした。

僕は、広告全般のクリエイティブを手がける仕事をしています。2005年頃から、僕は日本のランドマークである富士山を世界遺産にする運動のシンボルマークとキャラクターデザインを手がける仕事をしていました。そこで知りあったのが、青井さんとずっとお仕事をご一緒されてきた、Rootの嶋瀬徹さんでした。2013年6月26日に、日本政府が推薦した「富士山」が世界文化遺産に登録されたあと、嶋瀬さんから、手がけているプロジェクトのロゴデザインをしてほしいということで、青井さんを紹介されたのです。そして、そのプロジェクトこそ、「コートヤードHIROO」でした。

青井さんのことは、なんとなく嶋瀬さんからお話をお聞きしていたものの、どんな人なのだろうとすごく興味がありました。何しろ、あの「丸井」の創業者のお孫さんです。広尾という一等地に、これまでになかったような空間をつくりあげるという面でも興味深いものがありました。

最初にお会いしたときは「でかい人だな」という印象でした。大柄なのにスマートで、由緒正しい血統なのに偉ぶるところがまったくない。こちらの緊張を瞬時にほぐしてしまうようなあたたかい笑顔で、僕は一瞬でこの「青井茂」という人が好きになりました。

それ以来、青井さんからたくさんの方をご紹介いただいたり、お誘いいただいて飲みに行ったりと、いいおつきあいをさせていただいています。青井さんのまわりには、「本物」がたくさんいるので、そういう方々とご縁をつないでいただけるのは、僕にとってても刺激になります。

知りあってからずっとたまにお会いして飲む「飲み仲間」でしたが、2019年からは「富山まちづくり会社」のビジネスパートナーとして、正式にお仕事をご一緒させていただいています。これまで散々「テーブル」はご一緒させていただきましたが、「テーブル」のある場所が飲み屋から会議室に変わったことは、僕にとって新しい挑戦です。

青井さんは超一流のビジネスパーソンで、僕がやっている仕事とはまったく異なる世界で仕事をされてきました。もちろん、生まれ育った環境もまるで違うし、正直、僕とは違う世界の人間だと最初は思っていました。でも、親しくなるにつれ、「違う」からこそ、お互いにいい影響を与えられる関係なのではないかと思うようになりました。

青井さんは、自分と異なる意見に対して「それは僕とは違う発想だね」と、まずは違うことを認めてくれます。そして、その違う部分を面白がってくれる。これは、一緒に仕事をする仲間を大事にする青井さんが「自分にはないピース」を認めてくれているからだと僕は思っています。

会議が煮詰まったとき、たとえば僕の知っている会社（自分の会社を含めて、ですが）だと、たいていシーン……としてみな下を向いてしまう。でも、青井さんはその場を盛り上げることで、会議に参加している人たちについ意見を言わせてしまうところがあるんです。これは不思議だなといつも思うのですが、「面白くない打ち合わせからは、面白い意見は生まれない」と青井さんから聞くと、なるほどなあと感心します。いいアウトプットが出せずに苦労している企業は、みな青井さんを見習うべきではないでしょうか。

青井さんは、「人間」が大好きなんだと思います。だから、その人のよい部分を見つけようとするし、個性を大事にする。その人のよさを見極め、個性を伸ばせるように褒めるテクニックは、ある意味天性のものだと僕は思っています。だから青井さんのまわりには、ついついのせられて実力以上の仕事をしてしまう「スーパーパーソン」が多いような気がします。もともとすごい人たちが磁石のように青井さんのまわりに集まっているだけかもしれませんけどね。僕を除いて（笑）。

青井さんは、「本物の好奇心」を持っている方です。そして、その「興味」を楽しみながら形にするエネルギーも持っている。だから青井さんのまわりには、いつも「楽しい」があふれています。僕はそんな青井さんの、「右腕」になりたい。なんておこがましいことは望みませんが、せめて「右手の指一本」くらいの力になれたらいいなと思っています。

株式会社ベイクウェル代表取締役社長
フランス菓子専門店ルコント経営
黒川周子《くろかわちかこ》さんの場合

青井さんとは、実はお仕事でのお付き合いはございません。私がご尊敬申し上げる、とある青井さんと共通の先輩から、大変に愉快で素晴らしい方がいらっしゃる、という事で約2年前にご紹介をいただきました。以来、東京では言うに及ばず、広島、富山、京都など、さまざまな場所やメンバーで、視察に行ったり、お酒を楽しんだりと、学びの多い時間をご一緒させていただいております。若干「お酒」の機会の方が多くございますでしょうか（笑）。

初対面では、爽やかながら、どこか一癖も二癖もありそうな、好青年だけでは収まりきらない雰囲気をお持ちの方、とお見受けいたしました。

そんな青井さんと、瀬戸内海の客船「ガンツウ」に乗船させていただいたことがございました。昼夜通しでご一緒させていただき、お酒の飲み方、美しい瀬戸内海に感動する価値観を共有できる方だと感じ、今後とも親しくさせていただきたいと思いました。

青井さんは、とにかくフットワークの軽い方です。学ぶ事に貪欲で、どんなお誘いでも、世界のどこであったとしても、好奇心を持って出向かれるところは、見習いたいと思っているところでございます。

また、諸先輩方や初対面の方々にでも、いつの間にか、「青井節」ですっと馴染む人間力には、いつも感心しております。常々、青井さんの持つ「一言力」には驚かされるばかりで、場を回しまとめるお力は、青井さんの発するお言葉にも表れていると感じます。

いつも笑顔の絶えない青井さんですが、何事も楽しもうとされるお力は、まわりの人達まで巻き込みます。とにかく、青井さんのまわりにはいつも「楽しい！」が溢れています。お目にかかる場では笑いが絶えませんが、その日の別れの瞬間に、またすぐお目にかかりたいな、と思ってしまうところは、青井さんの「デメリット」と言える部分でしょうか。

既成概念、固定概念のある世界ともまた少し違った、ユニークな「青井茂」という立ち位置で、これからの世代を牽引される方だと思います。常に発信力を持ち、ボーダーレスで世界的な視点から、日本という国を盛り上げていただきたいと存じます。これからのますますのご活躍も祈念しております。

元ラグビー日本代表キャプテン
株式会社ＨｉＲＡＫＵ代表取締役
ラグビーワールドカップ２０１９公式アンバサダー
廣瀬《ひろせ》俊朗《としあき》さんの場合

青井さんとは、社会人になってから年に1回程度、飲み会でお会いしています。友人に紹介されたのが最初のきっかけでした。

青井さんは、いつも気さくで、いつお会いしてもニコニコされています。誰にでもフラットで優しく、社会人の先輩としても人間としても、見習いたい部分をたくさん持っておられる方です。

私は5歳からラグビーを始め、現役を引退するまで、ずっとラグビーばかりやってきました。でも、青井さんをはじめビジネスパーソンや経営者と話す機会が増えるなかで、もっとビジネスの話をしたいと思ったときに自分に基礎的なビジネス知識がないことを痛感するようになりました。

そこで、2016年10月にビジネス・ブレークスルー大学大学院に入学し、経営管理学修士（MBA）を取得。2019年3月には、ラグビーを通して学んだ価値観をビジネスフィールドに広げることでスポーツに関わる人が増えることを目指す、株式会社HiRAKUを設立し、代表取締役に就任いたしました。

ラグビーにはチームワークが必要です。チーム内のメンバーにはさまざまな役割があり、皆が活躍したら凄いことが起きること、勇気が大事なこと、挑戦が必要なこと、仲間を大事にすること、目的・目標をもつことなど、ビジネスにも人生にも重要なエッセンスを、ラグビーは全部教えてくれます。

私は、これまで各世代で主将をつとめてきた経験と、学んだビジネスの知識を生かし、次世代のリーダーを育て、自分を育ててくれたスポーツ業界に恩返ししていきたいと思っています。

そのためには、青井さんのような、アスリートやスポーツ普及の重要性を理解し応援してくれるサポーターが必要不可欠です。

青井さんからは、お会いするたびにいつも力強いパワーとエネルギーをいただいています。日本ラグビーのために、ひいては、日本のスポーツ業界の未来のために、今後も「ONE TEAM」の気持ちでサポートしていただきたいと願っています。青井さん、これからもどうぞよろしくお願いいたします！

アーティスト
藤元明《ふじもとあきら》さんの場合

青井さんとお会いしたのは、今からもう6年前のことです。コートヤードHIROOで個展をやらないかとご依頼いただいたのが最初でした。謙虚で、常にまわりに配慮されながらも、ご自分の感覚をしっかりと信じている方だな、と思い、お受けすることにしました。それが、2014年の『Recycle Phenomenon』です。以来、『HEYDAY NOW（2015）』、『漂流者の回収

／Recall the drifters（2019）』と、3度の個展をコートヤードHIROOで開催させていただきました。

アーティストとコレクターという枠以上に親しくなったのは、2018年のアート・バーゼル・マイアミビーチをご一緒した頃からだったように思います。いろいろな作品やイベントを共に見て感動したり笑ったりするなかで、価値観を共有でき、お互いをより近く感じられるようになりました。

「日本の現代アートを応援する」という活動は、営利目的では難しい面もあると思います。でもそれを十二分に理解されたうえで、青井さんが活動を続けておられることは、本当に素晴らしいと思います。青井さんはこれまでに、ギャラリーを運営し、作品をコレクションし、トークイベントなどを行ってこられました。今後は、アーティスト・イン・レジデンスにも挑戦されようとしています。自分を信じて突き進む姿勢は、真似したいといつも尊敬しています。

青井さんのように、作家をちゃんと応援してくれる人がいることは、僕がアートを続けるモチベーションにも直結しています。先日のARTSY ANIMALS

“ART and BUY”というトークイベントの終了後、「是非（こういうイベントや活動を）続けましょう！」と青井さんがおっしゃった言葉は、僕の心に深く残りました。

青井さんには、今後さらにスケールの大きなアートプレーヤーになって、ますます日本のアートシーンを盛り上げていただきたい。いち「青井ファン」としてこれからも応援しています！

現代日本画家
大竹寛子《おおたけひろこ》さんの場合

青井さんとの最初のご縁は、2018年に「コートヤードHIROO」内にある『ガロウ』で個展をさせていただいたときでした。アートコレクター、そして『ガロウ』のオーナーである青井さんとアーティストの私は、個展に先立ち、コートヤードHIROOのアートアドバイザーのパトリックさんの紹介で、顔合わせと展示の打ち合わせを兼ねて都内のレストランでお会いしました。

白いTシャツにジーンズというカジュアルで爽やかな出で立ちで現れた青井さん。冗談を言って終始まわりの方に気遣いをする優しい方で、アートワールドにも見識が深く、純粋にアートに興味を示してくださり、アーティストとしてとても嬉しかったことを覚えています。

自身の個展が終了した後もニューヨークの友人アーティストのスタジオビジットやアート・バーゼル・マイアミビーチ、アート・バーゼル香港などのアートフェアでご一緒させていただきました。コレクター・ビジネスパーソンとアーティストという別々の立場から、現在の世界のコレクターやアーティスト、ギャラリー、キュレーターについてさまざまなお話をさせていただいております。

初対面から気さくに接していただけたので親近感はありましたが、海外でアートを見る旅に同行させていただいたことで、さらに親しくなれた気がします。

（実は今、この文章を書いているのは、私の展覧会が開催されているニューヨークです。つい先日青井さんがニューヨークのギャラリーに作品を見に来てくださり、明日からマイアミに移動。去年に引き続き、今年も青井さんや他のみなさんとのアートツアーに同行出来ることがとても楽しみです！）

青井さんの本業は、ご存じの通りアート関係ではありません。ご自身の専門分野でもご活躍されている上に、プライベートでご興味のあったアートやスポーツを仕事の一部として取り入れたり、様々な分野から積極的に新しいことを学びながら、楽しんで仕事をしておられるところが本当に素晴らしいと思っております。

青井さんは人付き合いがよく、誰とでも楽しく会話できる方であると同時に、自分の感情に実直で直感を行動力に変える部分がとても優れていると思います。

例えば、去年、アート・マイアミで青井さんが気に入られたアーティストが私の友人だったので、日本に帰ってからご紹介させていただいたところ、すぐにスタジオビジットして作品を数点ご購入され、翌年には『ガロウ』で個展を開くことをお決めになりました。

好みの作品を自身の感性を信じて選ぶところ、またアーティストの人柄も合わせて作品を評価してコレクションすることは、簡単にできることではなく、コレクターとしても素晴らしいと思っています。

青井さんとの忘れられないエピソードがあります。私が『ガロウ』で個展を開いた際、今までに描いてこなかった系統の新作数点を即決で購入していただきました。数ある作品の中から、なぜそれらの作品を選んだのか不思議に思いお尋ねしたところ、「アーティストが新たな事に挑戦しているところに惹かれ、それを応援したい」と仰ってくださいました。私は、「常に変化し続ける中にこそ真理があるのではないか」というテーマで制作を続けていますが、アーティストとして常に変化を恐れずに新しいことに挑戦し続けていこう、と改めて感じることができました。そしてアーティストの挑戦や変化を見守っていただけるコレクターでありギャラリストである青井さんとの出会いに本当に感謝しています。

青井さんは、お祖父様の代から続く会社を引き継いでおられます。青井さんにお会いするまでは、2代目とか3代目と言われる人達に与えられている恵まれた環境が羨ましく、何か特別なことが出来ても当然だと思っている部分がありました。でも、親しくなるにつれ、平凡な生まれの私には分からないくらいの多大なプレッシャーがあったり、偏見で見られる事もあったり、きっと嫌な思いもたくさんしてきたのかなぁと心の葛藤を感じるときもありました。今では、独特な環境の中で培われてきたコミュニケーション能力や洗練された雰囲気は、青井さんだから持ち得られた、人間の徳なのではないかと感じています。

そんな青井さんだからこそ、「新しい挑戦をしているアーティスト（アーティストだけでなく社会で頑張っている全ての人）を応援する」ことが出来るのではないかと思います。生い立ちや性別、国籍に縛られる事なく多角的に思考し、個性としてお互いを認め合いながら、それぞれの良さを伸ばせる様に各々が努力をしていくことで、より精神的に豊かな社会になっていくのではないかという事を体現されて、私たちを導いてくれている様に感じています。

私からも青井さんに何か新しい影響を与えられるアーティストに成長出来るように頑張っていきたいです！これからも宜しくお願いします。

ビジュアル・アーティスト
石井《いしい》亨《とおる》さんの場合

青井さんとは、アートコレクターとアーティストという関係（のはず）ですが、私にとっての青井さんは「アニキ」と呼ばせていただきたい存在です。

青井さんと初めてお会いしたのは、2018年のアートフェア「アート・マイアミ」に参加したときです。青井さんが私の作品に興味を抱いてくださったのがきっかけで、その後大学の同級生を通して、コートヤードHIROOでお目にかかりました。

青井さんは、とてもエネルギッシュで五感をフル稼働されている方です。以前お会いしたことがある一流のアスリートと同様な印象を受けたので、最初にお会いしたときは、失礼ながら一流のアスリート、もしくはラジオのＤＪをされている方かと思いました。

青井さんからは、私がこれまでにお会いした国際的な美術家とも似たような印象を受けました。お話ししてみると、とても見聞が広く、思慮が深い方で、それなのにまったく気取ったところがなく、誠実で謙虚な方だと好印象を持ちました。そのうえ、人との会話を丁寧にとても楽しむ印象を受けました。

青井さんとは「スポーツ」でもつながっています。青井さんが偶然、私の幼なじみのＪリーガーの選手と一緒に野球イベントに参加していました。自身がそのＪリーガーの友人の努力にとても影響されていることもあり、私の「核」であるその友人と青井さんが野球をご一緒していたことに強いご縁を感じました。それに、青井さんは野球、私はサッカーと、二人とも同じ「スポーツ」をバックグラウンドに持っているという共通項を見つけ、ますますのご縁を感じて、すぐに距離が近くなりました。

青井さんは常に私の作品に興味を持ってくださり、私が参加した国内外の展示等にもお越しくださっています。

青井さんとの会食や交流は、いつも本当に楽しい時間です。青井さんからのお誘いは毎回楽しみにしています。その会食等でより親交が深まり、親しくさせていただいています。

青井さんの第一印象が気取らない謙虚さだとお伝えしましたが、その後の会話や社交の場でも常に謙虚で感謝の気持ちを持ち、誠実な方だなとの印象があります。青井さんのそのような振る舞いに影響を受けています。また、青井さんが社交の場で誰に対しても同じ接し方をされている姿は、人として大変に尊敬している部分です。

一方で、絶対に真似できないと思う部分もたくさんあります。

まずは、素敵な声質と声量、そしてすべらない話術です。トークイベントや会食ではいつも素敵な声質で興味深いお話をご披露くださり、場の雰囲気がなごやかになる印象があります。また、受け手がついつい話してしまいたくなるプロのインタビューアー的な印象もあります。

それに、いつも本当に素敵な笑顔で人と接している印象があります。また、その場の空気が心地よくなるような清潔感を感じます。世界中で、さまざまな人と交流してきた見聞が深い方なのだなと、会ってすぐに雰囲気で感じとれるオーラがある方です。フィジカル面も、実はかなりの憧れです。

そんな青井さんが、私の築地のスタジオに訪問してくださったことがあります。一連の作品群をみていただき、その後に青井さんのコートヤードＨＩＲＯのグループ展に参加した際、「今年見た作品の中で一番興味がある」と声をかけていただきました。作家にとってこの言葉は一番嬉しいことで、一番の励みになりました。その青井さんとの出会いの後、私の作品はロンドンの美術館やマイアミの美術館に永久所蔵されました。

青井さんと出会って、私自身の見聞を広められたと感じています。また、他業種の見聞が深い方々を紹介していただいたことにより、私自身の人生が豊かになったことを実感しています。それらの経験を通して、作品制作のためのアイデアのひらめきも多くありました。それらのひらめきで制作した作品は、これまでにない切り口の作品となりました。

青井さんはお洒落で、巧みな話術、素敵な声質、清潔感でオーラが出過ぎているので、正直、アーティストより目立っています。ほんの少しどこかの要素を控えて欲しいです（笑）。

青井さんの、世界中をまわっていることによる見聞の広い視点や経営者としての視点を通して、日本のこれからの美術関係者に対し、貴重なご意見をいただけたら嬉しいです。なぜならば、自身も青井さんとの出会いを通して見聞が広がり、実際に作家活動が飛躍している確信があるからです。私は、日本の美術界には他業種の思考及び見方が必要だと考えています。美術業界が他業種との交流を通してイノベーションを起こし、社会の中での立ち位置を向上させることを望んでいます。

コートヤードＨＩＲＯＯのアートプロジェクトをより熱量があるものへ、拡大していただけたら嬉しいです。

さらに、作品が沢山飾れる空間を国内外で提案していただき、アーティストと異業種が交流できるプラットフォーム形成をしていただけたら嬉しいです。

これからも気さくな「アニキ」で、とびきりな笑顔とフランクな感じでたくさん飲みに誘ってください。楽しみに待っています。

東京藝術大学美術科油画専攻学部4年
大友秀眞《おおともしゅうま》さんの場合

青井さんとは、僕が学部2年生のときに藝祭（東京藝術大学の文化祭）で出した絵画を「A—TOM ART AWARD」に選出してくださったときからのお付き合いです。初めてお会いしたときは「黄色いオーラのある方だな」と思いました。

アワードのレセプションパーティでお話しさせていただくまでは、少し距離がありましたが、遊ぶときも本気なところがカッコいいと思い、以来、親しくさせていただいています。

レセプションパーティで、青井さんがご説明くださった、世界のアート業界で最も使われている言葉「アイコニック」についてのお話がとても印象深くて、今でも制作するときにその言葉を心がけるようにしています。

青井さんの「新しい経験をしてほしい」という言葉も印象的で僕の中に残っています。最近は積極的にいろんな人とのコミュニケーションをとるようにしています。

今後展示などする際は、（ZOZO TOWNの前澤元社長が行った「お年玉バラマキ企画」のように）SNSで話題性のあることを企画して、新たなお客さんの獲得に繋がるようなユニークな広告を立て、盛り上がっているのを見てみたいです。

妻
青井舞彩《あおいまい》さんの場合

茂さんと出会ったのは、２０１４年の秋。共通の知人である、竹下雄真さんによって開催されたＢＢＱで出会いました。

最初の印象は、とっても礼儀正しく、声が大きく、とにかくお話が面白い方だと思いました。笑顔が爽やかで素敵で、絶対に人を悪く言ったりせず、とても誠実そうで、気配りが細やかで、気づかい上手で、「こんなに素敵な人は、これまでの私の人生で出会ったことがない」と思いました。完全に惚気でごめんなさい……（笑）。

ですから、またどうしても茂さんにお会いしたくて、私から、「もう一度ＢＢＱをやりませんか？」とお誘いし、連絡先を交換させていただきました。ランチやランニングをご一緒させていただくうち、自然とお付き合いが始まりました。

正直、私は仕事のときの茂さんはあまりよく知らないので、厳しい面をあまり見たことがないのですが、彼ほど、愛情深い人はいないと思います。家族を愛し、仕事を愛し、仕事仲間を愛し、友人を愛し、スポーツを愛し、先祖を敬い、全てに感謝しながら日々生きていると感じています。

本当に人が好きで、人に好かれ、人との関係を何よりも重要視していて、人のために何かよいことを行うことを自然にできる人だと思います。そして絶対に悪いこと、後ろめたいこと、自分の考え方にそぐわないことはしない人です。

たとえば、街で人が倒れたり、何かを落としたりすると、光の速さで飛んで行って人助けをします。以前、わが子のベビーカーを離してでも、人助けに飛んで行ったことがありました。さすがに戸惑いましたが（笑）、それだけ目の前の困っている人を放ってはおけない「熱い」魂を持っている人です。

祖先を敬うという点では、富山に恩返しをしたいと奮闘しているのはもちろんですが、富山出身のお祖父さまである青井忠治さんにとても感謝していて、月に一度は必ずお墓参りに行きます。年末には必ずお墓をピカピカに磨きますし、どんなに忙しくても感謝の気持ちを忘れずにいる姿は、正直尊敬でしかありません。

茂さんと出会い、丸くなり、気づかいを少し覚えた私ですが、もう一度人生をやり直せたなら、もっともっと私のまわりにいた人間を楽しくできただろうなと思います。夫でありながら、私は常に彼ほど素晴らしい人は世界のどこを探しても他にいないと思っています。彼の考え方、情熱、すべてを心から尊敬していて、真似したいと思うところばかりですが、真似できないことばかりです。

茂さんの一番凄いところは「気づかい力」だと思います。そのときの場の空気を何よりも察知し、どんなスタンスでどういう風に話を回すのかを考えられる、気づかいの天才だと思います。言ってみれば「コミュ力おばけ」でしょうか(笑)。コミュニケーション能力の高さが際立っていて、どこの国の誰とでも瞬時に仲良くなるスキルを持っているのはすごいなといつも感心しています。

レストランに入れば、注文を取りに来たスタッフの方に必ず、話しかけます。

そして果敢に笑いを取りにいこうとします。ただ、ウケないこともしばしばあり、そういうときは隣にいるのが恥ずかしいこともあります（ごめんなさい笑）。タクシーの運転手さんにもよほど疲れているとき以外は大抵、話しかけます。一緒に旅行に行けば必ず現地の人と仲良くなり、オススメのお店などを教えてもらったりします。

こんな茂さんの近くにいるせいか、私もやたらと人に話しかける人になってしまいました。子供連れのお母さんと目が合えば必ず話しかけてしまいます。似てきたなぁ〜、とよく思います。でも残念ながら、茂さんのように気の利いた面白い言葉は出てきません。そこが似てくれればいいのに！と、いつも思っておりますが、こればかりは天性なので仕方ないですね。

茂さんには今のまま、自由で、クリエイティブで、エネルギッシュで、どんどん新しいことに挑戦する、頼り甲斐のあるかっこいい人でいてほしいと思います。きっと、そんな私の期待なんて、遥かに超える事をどんどんやってのけるのでしょうが。

茂さんは、自分の得だけで動くような人ではありません。必ず皆が幸せになれるように、いつも考えています。家族も、社員の皆様も、仕事のパートナーも、とにかく皆が幸せになれる道を、誰よりも考えています。

茂さんの幸せは、茂さんのまわりの方々の幸せとイコールだと思います。茂さんには、近くにいる方はもちろん、世界で一人でも多くの人が笑顔になれるような仕事をしていて欲しいですね。私は家を守りながら、いつも最高の応援団でいられるよう、がんばりたいと思います。

7章

クリエイティブチーム×青井茂

SHARE THE Real

7章

クリエイティブチーム×青井茂
SHARE THE Real

「気になった情報、誰かに知ってほしい情報を、携帯電話やパソコンでさまざまな人と共有する。そんな分かち合うことの価値や喜びを多くの人が実感する今だからこそ、これからはもっと実体験そのものを共有できる場をつくりたい」

コートヤードＨＩＲＯＯは、そんな思いのもと、アトムが作り上げてきた空間だ。現実世界（Real）をシェアできる貴重な空間として、多くの人に愛される場所へと成長してきた。

そんな青井茂とアトムの「Real（現実）」を牽引しているのは、アトム・

クリエイティブチームである。

「何をするかより、誰とするか。」

株式会社アトムの名刺裏には、こんなメッセージが書かれている。これは、アトムがもっとも大事にしている考え方だ。

「〝何を〟するかはもちろん大切。でもそれ以上に、〝誰と〟するかが大事」

と、青井茂はいつも言う。

青井茂のまわりには、自由で、クリエイティブで、刺激的な「仲間」が自然と集まってくる。社員に限らず、自分の可能性に挑戦するインターンや高度な専門スキルを持つ外部スタッフ、ビジネスパートナーなど、アトムに煌めく才能が集結しているのは、青井と同じ目的を持った同志達が自然と集まって自由にクリエイティブできる空間がそこにあるからだろう。

何を食べるかより、どこに行くかより、何を聴くかより、何を見るかより、どこに住むかより、何で遊ぶかより、何を歌うかより、何を話すかより、どんな仕事をするかより、何をするかより、誰とするか。いつも、どこででも、オープンに「仲間」が集まっているクリエイティブチームの次の「誰か」は、あなたかもしれない。

ーキーワード1ー 動物園

クリエイティブチームのメンバーは、「株式会社アトム」の社員ではない。それぞれが独立した別法人で活躍しながら、必要に応じてアトムのプロジェクトに参加している。

「動物園みたい」

２０１９年にメンバーに参加したＰＲ担当の「ツゲプロ」黒木梨花さんは、クリエイティブチームのメンバーをこう表現する。

黒木さんは、かつて大手広告制作会社に勤務していた。自分が転職するなどと考えたことは一度もなかったそうだが、縁あってクリエイティブチームのメンバーと出会い、会社を退職。クリエイティブチームの一員としてプロジェクトに参加することになった。

「以前勤務していた会社は大手だったので、あのまま会社にいた方が安泰だったのは間違いありません。アトムのクリエイティブチームのみなさんは、多才多芸な人ばかりです。そういうすごい人たちを目の当たりにして、厳しい環境になるが、刺激を受けなが

ら、より自分の成長につながるのではと感じたのが、会社を飛び出してこのチームに参加した理由です」（黒木さん）

それぞれが自立しているメンバーなので、「このチームありき」というよりは、青井氏から相談があるごとに、適材適所の人たちが集まってプロジェクトが進む。

「もともとの発想は、ラスベガスのカジノホテルを舞台に、11人の男達がホテル王を出し抜き、金庫破りに挑むハリウッド映画『オーシャンズ11』なんです。青井さんがこの映画が好きなこともあって、『オーシャンズ11』のメンバーたちのような仕事のやり方をめざしていたら、自然と「破る金庫の難易度」、つまりプロジェクトの規模や性質に合わせて、その都度最適なメンバーが集まるようになりました」

こう話すのは、アトムのクリエイティブチームをプロデュースするRootの嶋瀬徹さん。2～3人でやるプロジェクトもあれば、10人単位で集まるプロジェクトもあるという。

「基本的にみんなでいろんな『金庫』をあけているので、サイズや難易度はあまり関係ない。短期間で終わるからつまらない仕事とか、長期間にわたる大型案件だから面白い仕事という選別はまったくない。このメンバーと一緒にできる仕事は、どれも等しく楽しくて有意義」と、アートディレクターの福井直信さんは言う。

「このメンバーのなかにいると、いろんなことをやらなきゃいけないという責任感がわく」と、前述の黒木さんは話す。「身近に有能なクリエイターの方と接していると、自分も何か勉強しようという気になる。会社員時代は、イベントプロデュースのセクションにいたのですが、まずノルマがあって、それに向けて利益を確保して、というのを考えて、イベントの大小で能力が評価されることにずっと違和感を抱いていました。転職したことが正解かどうか、今はまだわかりませんが、つまらないフラストレーションはなくなりました。それだけで人生ずいぶん得をしたかもしれません」

青井さんにとって、このクリエイティブチームはどんな存在なのだろう。それを尋ねると、こんな回答が返ってきた。「クリエイティブチームは、僕の思いを言葉や映像の力で形にしてくれる専門家集団です。僕が『こんなことをしたい』と問いかけると、その思いに共感したメンバーが、それぞれの技術と経験を駆使して形にしてくれます。ときにプロの視点から厳しい意見を言われることもありますが、お互いにフラットな立場だからこそ、全力で『最高のもの』に向かって進むことができると感じています。頼れるプロフェッショナルでもあり、心強い同志です」

最近は、大手企業に定年まで勤めるというかつての日本企業的な働き方は「常識」ではなくなってきている。今後は、自立した人たちが目的に合わせて集まり、成果を出していく、というアトムのクリエイティブチームのような仕事のやり方がますます増えてくるに違いない。

―キーワード2― HAKONE

クリエイティブチームのメンバーは、毎月1回定期的にミーティングを行っている。これは、プロジェクトが進行していてもいなくても、必ず行われる。さらに、2ヵ月に

1回は、行けるメンバーが集まり、青井さんの箱根の別荘で泊まりがけの「合宿」を行う。ただの「飲みニケーション」ともいえるが、これがクリエイティブ面で意外な効果を発揮する原動力にもなっている。

青井さんは、クリエイターたちの「合宿」の必要性を、こう分析する。

「数値目標の確認や営業実績の確認は会議室でできます。でも、いいクリエイティブの案は、会議室で2時間議論したからといって出るものじゃない。たとえば修学旅行なんかで、夜中の1時くらいから親密な話になったりするじゃないですか。僕はそれこそがクリエイティブだと思っているんです。飲みながら、何気なく『それ面白いね』『じゃあそれやろうよ』とか、『こういうのはどうだろう』みたいな会話ができるのが、〝飲みニケーション〟の力ではないでしょうか」

普通の仕事だと、その案件が終わったら関係性が一旦途切れることが多い。けれど、アトムの仕事は、仕事とは一見関係のない『合宿』や、毎月第一金曜日にコートヤード

お互いの意見やアイデアを自由に出しあうクリエイティブチームのメンバーミーティング。

HIROOで行われている定期イベント「First Friday」などで頻繁に顔をあわせる機会があるので、普通の仕事よりも関係性が密に構築できる。これが仕事にいい影響を与えている、とメンバーは思っている。ウェブデザインを手がけるナカムラヒデキさんは、「最初に信頼関係があるというのは、下地ができてあたたまっている状態なので、ものづくりをする上で非常にやりやすい」と断言する。『はじめまして』でご一緒する方とやるより、いいパフォーマンスが出せている気がします」

「メンバーは、お互いに違う役割を持っている。だから、誰が上で誰が下という意識はまったくない」と話すのは、エディターの鈴木博子さん。このフラットな関係性もまた、クリエイティブチームの才能を引き出すスパイスになっている。

―キーワード3― 青井磁界

今の時代、大企業に就職できたからといって一生安泰とは言い切れない。ましてや「幸せ度」で考えると、大手企業で歯車として働く人生が果たして本当に幸せなのかどうかは難しい判断だ。

アトムの企業理念にある「何をするかより、誰とするか。」という言葉は、同じ仕事をするにもどういう人とするかを大事にしていることを表している。馴れ合いではなく、常に刺激しあえる人と、魅力的な仕事をこなしていく人生は、「幸せ度」でいうと、かなり上のランクに値するはずだ。

お金が儲かるとか有名になるとか、人に「すごい」と言われる大きな仕事に関わる、という部分に「幸せ」の価値観を見出す人もいるだろう。でも、「チーム青井」は、「誰と一緒に仕事をするか」というところに徹底的にこだわっている。このこだわりが、「青井氏と一緒に創造したい」という純粋な賛同を集め、チームの資質向上に大きく貢献している。

「僕は他企業でもたくさんお仕事をさせていただいていますが、定例ミーティングがある企業さんって、ほかではあまりない。さらにいえば、青井さんの箱根の別荘で2ヵ月に1回雑談含めながら仕事の話をするなんて、ほかの仕事ではまずありません。それだけ距離感の近い仕事をさせていただいている、という意識があります。僕はコートヤードHIROOができる直前から参加させてもらっていますが、毎月打ち合わせしたり、箱根で飲んだりしているうちに、青井さんの人となりや考え方がわかるようになってきました。そうなってくると、青井さんともっといい仕事をしようという気になります」とコピーライターの小野仁士さんが言えば、アートディレクターの福井さんも大きく頷いて賛同する。「もともとはアトムさんの仕事なんだけど、青井さんとの関係が密だから、ラグビーワールドカップで躍進した日本代表じゃないけど、『ONE TEAM（ワンチーム）』という意識になるんですよね。このチームメンバーのためにいい仕事をしよう、みんなに喜んでもらおう、という気持ちが高くなる。そして、『このチームで考えると、こんなに面白いことができるんだね』と認めてもらえたときこそが、私にとって一番嬉しい瞬間かもしれません。アトムという不動産会社と仕事をしているという意識は実はなくて、青井さんと、その仲間たちと一緒に、いいものをつくるために邁進している、という感じです」

以前、大手広告制作会社に勤務していたという告野真朗さんは、独立後、アトムのクリエイティブチームに参加した。「前よりも帰る場所があるという感じで安心する自分がいます。私の会社のことを、青井さんが『精神的連結子会社』と言ってくださったことがありますが、プロジェクトごとの契約なのに、一般的な会社の同僚同士よりも仲間意識が高い気がします。このメンバーでご一緒させていただけることは、私にとって財産です」

クリエイティブチームのメンバーは、かつて大企業に勤めていた人が多い。ある意味、メインストリームに危機を感じ、新しい時代や文化をつくってやろうという反骨精神を持った「似たもの同士」が集まっているということなのだろう。

「人の価値とか、労働の価値もそうですけど、青井さんの仕事は、『何ページやったからいくら』という物差しではない仕事ができるのがいい」と話すのは、グラフィックデザイナーの細田純平さん。最初に細かい契約を交わさなくても、信頼関係があるから、何の疑問も不安もなく全力でいい仕事ができるのだと話す。「いちいちつまらないことで仕事が止まってしまうことは、ほかの仕事ではよくある。そういうのがないのは、クリエイターにとって、本当にありがたいです」

「居場所があって、自分の能力を求めてもらえるというのは嬉しいですし、それがすごく心地いい。クリエイティブチームのメンバーが『いいね』と評価してくれると、一緒に仕事ができてよかったな、と思えます」（アートディレクター／福井さん）

クリエイターたちは、口をそろえて「青井さんがクライアントという意識はない」と言う。よく巷で耳にするような、クライアントに遠慮して自分のクリエイティブを曲げたり、クライアントを説き伏せるための戦略会議を練ったりするという「ムダ」は、ここでは一切見られない。そういう意味では、「青井さんは、クリエイターの能力を最大限に引き出せる社長だ」と評価するクリエイターもいる。また、「社長がいないから決められない」という問題も、このチームでは起こりえない。社長が逐一チェックしないとすまないとか、最後の最後でひっくり返されるという前時代的な仕事のやり方も、このメンバー間では起こりえない。

嶋瀬さんという名伯楽も、クリエイターたちにとっては大きな存在だ。

「いいプロデューサーはクリエイターのことを守ってくれる。僕らが青井さんとざっくばらんに話せるのは、お金のこととかシビアな話を嶋瀬さんが引き受けてくれるから。僕らはただ、『こういうことやりたいよね』という青井さんと一緒に、それを最大限に楽しむ企画を考えればいい。この環境は、クリエイターにとって、本当にありがたい限りです」（コピーライター／小野さん）

自由に力強くクリエイティブなミッションを遂行しているメンバーたちの活躍は、今後もさらに大きく展開していくだろう。

―キーワード4― フリーダム

クリエイティブチームは、個別に優秀な人材ばかりだ。だからこそ「怠けていられない」という暗黙の競争力が働いているとメンバーは言う。

おそらく、楽をしようと思えばできるはずだ。しかし、一度それを許してしまえば、結果的にこのクリエイティブチームにはいられなくなる、というのも彼らは本能的に知っている。

ひと昔前であれば、このクリエイティブチームのメンバーが集まって、プロダクション会社を作っていただろう。しかし、このチームメンバーのなかに、それを望む者は誰もいない。

プロデューサーの嶋瀬さんは、クリエイティブチームのメンバーは、お金や立場ではなく、「自由」に執着がある人たちの集団だと指摘する。

エディターの鈴木さんは、1年に2ヵ月間くらいインドへヨガをしに行くのだという。

「私にとって、2ヵ月のインド滞在は、いい文章を書き続けるために必要不可欠な要素。2ヵ月休むことでなくなる仕事なら、なくなってもいい」

「青井さんのことは好きですし、仕事も楽しいですが、ここに依存する気持ちはまったくない。結局、僕がやりたいからやっているだけなんですよね」（グラフィックデザイナー／細田さん）

「この仕事がなくなったらどうしよう」という安っぽい考えは、このメンバーは誰一人持っていない。彼らの心を占めるのは、「やるからにはとことんやりたい」あるいは、「自由を得るためにはどんな努力も惜しまない」という気概だ。

彼らは間違いなく「青井茂」と「アトム」を愛している。しかし、そこに依存はない。もし仮に、青井さんが拝金主義者になったら、彼らは途端に「青井茂」に興味がなくなるだろう。

株式会社アトム代表取締役である青井茂の「いま」の思いや、アトムに関わる人やできごとの情報発信、コートヤードＨＩＲＯＯのイベント情報などを掲載し、会社案内としても活用している〝SHARE THE Real（シェア・ザ・リアル）〟は、全12回で終わることを前提にスタートした。会社や組織、地域に「身近な人」同士のゆるいつながりを作ることを目的に、１００人のゲストが集まったら解散する「１００人カイギ」のように、始めからゴールが見えているプロジェクトだ。

「続いて当たり前、あって当たり前だと、どこかに甘えが出るかもしれない。１回終わ

るぞ、という気持ちを持ってやるからこそ、意味がある」（コピーライター／小野さん）

メンバーにとって、アトムは自由をベースに、お互いの成長を感じられる場。月1回の定例会で、それぞれの進化を確認しあいながら、お互いにいい刺激をもらっている。

―キーワード5― 本物

前述の会社案内“SHARE THE Real”の記事制作で、カンボジアに現地取材に行かせてもらったというエディターの鈴木さんはこう語る。「4ページで3泊4日。お金をかけずにやろうと思えば、レンタルポジとスカイプ取材で、できなくはない仕事でした。でもそれでは、本当の声は拾えないし紡げません。費用対効果やクオリティについてメンバーで議論し、やはり現地に行った方がいいという結論で、現地取材が実現しました。こうした、現場スタッフが自分の信念に従って自由にクリエイティブな表現を追求できる環境が、アトムの価値をさらに高めていると思います。自分のなかでも、こうした経験が

蓄積されて他の仕事に生かされていくといういい循環ができているのを実感していま す」（エディター／鈴木さん）
「うわべだけを繕い、実体のともなっていない企業もたくさんありますが、青井さんはとても誠実でていねいなところが強みだと思います。情報化社会だからこそ、ものごとをていねいにやっていかなければ、すぐに化けの皮が剥がれてしまいます。"SHARE THE Real"は、クリエイティブチームの意気込みが、一番純度高く現れているもの。制作側もつねに全力で取り組んでいるんです」（アートディレクター／福井さん）
「クリエイティブチームと一緒にやる仕事は、いつも楽しい。他の仕事にもいい影響が出ています」（グラフィックデザイナー／細田さん）

数年前、青井さんは、これからの自分の仕事には絶対にクリエイティブな力が必要だと確信し、そこに予算をかける覚悟を固めた。クリエイティブチームのメンバーは、デザイナーが新しいイベントの骨子を考えたり、コピーライターがデザインのディレクションをしたりと、己の領域以外でも自由に羽ばたいている。職の細分化が進むなか、自分の専門以外のことに関わらないというやり方ではなく、定期的に自由に意見交換ができる場があるというのは、クリエイターにとって最高の環境だ。

“SHARE THE Real”は、もともと、First Fridayを紹介するための冊子だったが、「これだけじゃもったいない。どうせなら、アトムの企業活動も見せたい」という話に広がり、アトムから社会に向けたコミュニケーションツールへと進化した。

同誌は、業界内外で大きな反響を呼んでいる。営業先で「読みました」「青井さんの考え方に同感です」という声を聞くことも増えたという。また、新規に取引を考えている企業からは「拝読してから来たので、青井さんのお考えがよく分かりました」という声があがることもあるそうだ。

「これからの時代、スキルだけでやる仕事は続かない。お互いの人間性を理解し、合致しているうえで、スキルはマストで持っている、という人とでなければ仕事はできなくなってくると思う。もちろん、依頼する側にも、高い人間性が必要です。そういう意味で、青井さんは、最高のクライアントであり、上司であり、そして同志です」（グラフィックデザイナー／細田さん）

8章

Imagine, 100 years

一〇〇年後の「懐かしい未来」に向かって

8章 Imagine, 100 years 一〇〇年後の「懐かしい未来」に向かって

「いい会社」の概念は時代とともに変わる。

かつては、債券自体の信用リスクの度合いを示した格付最上ランク「トリプルA」格を付けられることが「いい会社」の条件とされた。しかし、近年はそれだけでは「いい会社」とは判断されない。

もちろん、格付けやROE（自己資本利益率）は重要だ。しかし、それにも増して、2015年9月に国連サミットで採択された「SDGs（持続可能な開発目標）」が、昨今では重要視されるようになった。

いまや社会・環境課題の解決は、企業に当たり前に求められる要素だ。経済成長だけでなく、社会や環境など「非財務」面で成果が出せない企業

は、投資家と話ができないという経営者の声も聞く。

だが、ふり返ってみれば、株式会社アトムは、SDGsという言葉が出始めるずっと以前から、「持続可能な」企業経営を続けてきた。2014年、創業55周年を記念して制作した社史ではサステナブルを謳い、「経営のバトンが次の世代へ、さらにその次へと渡されても、まちづくりや社会のあり方に対する哲学を継承し、永続的に世の中に貢献していく。一人でも多くの人を幸せにする」と宣言している。

アトムがめざす未来は、100年先の「懐かしい未来」だ。「100年後の社会にも脈々と生き続け、さらに大きな花を咲かせる種を今の時代に撒きたい」と、令和の幕開けとともに社長に就任した青井茂は言う。丸井の創業者・青井忠治が残したDNAは、その息子である2代目・忠四郎から、孫の3代目・茂へ、確実に受け継がれている。

青井茂（以下、茂） ここ1〜2年でようやく「ＳＤＧｓ」という言葉が広がってきましたが、ＳＤＧｓが２０３０年までに目標達成を掲げる17のゴールのうち、「住み続けられるまちづくりを」「働きがいも経済成長も」というのは、アトムがずっとめざしてきたことでした。時代がここまで来るのに時間がかかったな、という感じもします。私たちが「コートヤードＨＩＲＯＯ」をつくったのは２０１３年。まだ、国連でＳＤＧｓが採択される前のことでしたが、私たちはその頃から「継続可能な」まちづくりに取り組んでいます。

青井忠四郎（以下、忠四郎） 昔は「世の中のため」「人のため」というのは前面に出さないのが礼儀とされましたから、今のように「社会や環境課題解決のために」と声高に言うのは、昭和の人間には無粋な気がします。

ましてや、私たちの時代にはＳＤＧｓ的な考えをビジネスにするという発想はなかった。社会貢献は企業が果たすべき責任ではありますが、あくまでボランティアという概念が強かったように思います。

茂 今は、本業のなかでどう持続可能な社会に向けて課題を解決していけるかというところが重要視されています。私たちアトムがめざしているのも、まさに100年単位で考える未来。100年先にも「懐かしい」と思えるような場所と時間をどれだけ多く残せるか。そこにアトムの存在意義はあると思っています。

経営の転換となった「コートヤードHIROO」

忠四郎 そういう意味でいうと、「コートヤードHIROO」プロジェクトは、アトムにとって大きな経営転換でしたよね。

茂 はい。あれは、新しい挑戦でした。アトムに入社して以来、経営とは何か、ファミリービジネスとは何か。そこを噛み砕き、どう今の不動産事業を進化させていくか、会長と一緒に考えてきました。その答えのひとつが「コートヤードHIROO」だったように思います。

忠四郎　今だから言いますが、最初に「コートヤードＨＩＲＯＯ」の話を聞いたときは驚きました。

茂　確かに、経済合理性、資金回収のスピードだけ考えたら、古い建物を完全に取り壊して巨大な高級マンションを建てた方が、ずっと簡単ですもんね。「Ａ－ＴＯＭヒルズ」とか、「Ａ－ＴＯＭレジデンス」とか、そんな名前をつけて売り出せばたちまち資金を回収できたのはよく分かっています。でもそんなことは、他の誰かがやってもできることじゃないですか。私たちは、「自分たちにしかできないことをしたい」と模索していました。あの頃の私たちは、「アトムは今後１００年、２００年というスパンで持続可能なモデルを提案していくんだ」という強い意思表示を、誰かに誇示したかったのだと思います。

忠四郎　あの頃はちょうど「まちづくり」という概念が出始めた頃でした。大手不動産会社がこぞってショッピングセンターなどの開発などに乗り出した時期です。

茂　そうですね。「まちづくり」ということがいわれるようになったのは、ここ10年くらいですよね。不動産業は、バブルの頃は「土地を安く買って高く売る」という資本主義の権化のような存在でした。それが「まちづくり」という概念が登場してからは、自分たちが儲けるだけでなく、まちに住む人々の暮らしやコミュニティをつくるという方向にシフトしてきたように思います。

忠四郎　マルチサービスセラーですね。

茂　マルチサービスセラー？

忠四郎　私がまだ丸井にいた時代、これからの小売業は複数の事業を展開するマルチリテイラーでなければいけないと教わりました。でも、これからの小売業は、モノ消費だけでなく、コト消費や体験型消費、人と人とのつながりをつくるなど、マルチなサービスを提供できるマルチサービスリテイラーでなければいけない。となれば、不動産業だっ

て、マルチサービスセラーでなければ生き残れないと思います。

私は創業者の青井忠治さんから、「時代が要求しているのなら、どうぞおやりなさい」と常に言われていました。ただし、「ただ単にあなたが欲しているだけではダメです。お客様が欲しているならば、それはどうぞおやりなさい」と。そこは厳しかったですね。

不動産業の枠を超えた空間づくりをめざす

茂　コートヤードHIROOをつくったのは、正直「今の不動産業界に一石を投じたい」という思いが強かったので、正確に「お客様が欲して」いたかと聞かれたら、答えに窮します。でも現在、コートヤードHIROOを訪れる人の数は、年間約2万人を超えるようになりました。スタジオで運動する人、ワークスペースで働く人、レストランで食事をする人、イベントにやってくる人。ここでは毎日、たくさんの出会いがあり、多様な価値観が交差しています。「気持ちいい空間だ」と、訪れた人に声をかけてもらい、ここで出会った人達が親しげに交流を深める様子を見ると、「ああ、つくってよかったな」

と思います。

忠四郎　コートヤードＨＩＲＯＯは一見欧米的ですが、実は古くから日本にも存在していた文化をなぞっています。昔の映画やＴＶドラマなどを見ると分かりますが、家の裏の勝手口から外に出て、近所の人達との醤油貸して、米分けて、というコミュニケーションが日本にはありました。決して、欧米独自の文化ではないんです。コートヤードＨＩＲＯＯには、そんな「かつての日本」のように、近隣の方々がつながりを求めてやって来る場所になってほしい。見た目はカッコよくても、中身は人間くさい。そんな存在であってほしいですね。

茂　それを表現するキーワードが「懐かしい未来」なんですよ。コートヤードＨＩＲＯＯの取り組みは、必ず従来の不動産ビジネスを超えたものになると私が言っている根拠も、そこにあります。その原点って何だか分かりますか？　実は、私がいつも参考にしているのは、会長なんですよ。会長の世代にとって当たり前のことが私たち世代にとっては新しいし、私たちの日常は会長世代にとっては新しい。そんな世代をまたいだ経営者二人の微妙なズレも、アトムが面白いことに挑戦できる理由のひとつではないかと思います。

忠四郎　昔の映画やTVドラマの話とか？（笑）

茂　運動会があったとか(笑)。私は昭和に憧れがあるんでしょうね。特に昭和のビジネスマン、サラリーマンに。会長もそうですが、諸先輩方の話を聞くと面白いなと思うんですよ。一番衝撃的でうらやましいなと思ったのは、会長から聞いた運動会の話です。

忠四郎　昔の丸井では、会社行事として運動会があった、という話ですね。社員みんなで運動会をやると、働くことは単に時間を費やしてお金を稼ぐことが目的ではないんだと気づきます。今でも、酔っ払うとみんな運動会の思い出話しかしない。働いていたときの話なんて、一度も聞いたことがありません。それまで顔しか知らなかった者同士が、運動会が終わるとあだ名で呼ぶんですよ。○○君、○○さんって呼んでいたのが○○ちゃんとかに変わっている。そうなると仕事の流れもよくなるし、絆も深まりましたね。

茂　それって、日常の業務の面でも凄く効果があったということですよね。バブル以降、そういう時間と労力とコストは無駄だと言って全部削ってしまった。無駄だから、労力がかかるから、金にならないからダメという判断は、「経済だけ発展すればいい」というSDGsがめざすゴールと真反対のものです。そこは、我々は未来に向けてもっと見直さないといけないと思っています。……で、何の話でしたっけ？（笑）

忠四郎　コートヤードHIROOで「懐かしい未来」をつくりたい、という話でした。

茂　そう、そう。話を戻しましょう（笑）。アトムは大企業ではないので、大手不動産会社がやっているような開発は、とても真似できません。でも、アトムにはアトムのやり方がある。うちは大規模ショッピングセンターも、アウトレットモールもつくれませんが、ささやかでも、人と人をつなぐ場所や、気持ちいい時間、未来を語れる空間を提供できる。こういうことは、すぐに結果がでるものではありませんが、まちづくりは本来、10年、いや、50年~100年かけて行うべきものです。少しずつでいいので、「あそこ、いいよね」と言ってくれる人が増え、コミュニティが広がり、それを広尾から日本中、そして世界に広げていけたらいいなと思っています。

「青井忠治イズム」を後世に伝えたい

忠四郎　私はファミリービジネスのよさは、先代から引き継いだ資産や利益があることだと思っています。仮に何か新しいことを始めるとしても、成果が出るまでの期間、事業を継続できる素地があるので、長い目で見守ることができる。だから社長とコートヤードHIROOをつくったときも、すぐに結果を出す必要はなかった。でもこれが、たとえば上場企業になってくると、四半期に一度、株主に対して結果を出さないといけない。これは、かわいそうだなと思います。

茂　今の時代は、「大企業に入れたから一生安泰」ということはないですよね。多くの人が大資本から離れ、独立して頑張っています。そういう方々と協業していくのが今後の仕事のやり方になってくるように思います。ＳＤＧｓの17のゴールにも「パートナーシップで目標を達成しよう」というのがありますが、協業することで斬新なアイデアをスピーディに実現できます。

実際、日本でもプロジェクトベースでそれぞれの分野のスペシャリストが集まるスタイルの仕事が増えています。海外の素晴らしい友人達を見ていると、彼らの自信の源は「どこの会社にいるか」ではなく「今、誰と何をしているか」なんですよね。

だからこそ、あらためて会長に申し上げたいのですが、私はこの会社を今後大きくしたいとはそれほど考えていないんです。なぜなら、アトムが従来の不動産業の枠に留まらずにいろいろな挑戦ができるのは、「小さい会社だから」という理由も大きいからです。大企業では、いくらファミリービジネスとはいえ、大きな冒険はできないでしょう。私は創業者・忠治さんのＤＮＡを「青井忠治イズム」と呼んでいますが、イズムを末端までコントロールできるのは、せいぜい年間売上げ20億円規模の会社だと思うんです。

だから、売上げ規模600億円の会社を1つつくるのではなく、20億円の会社を30個つくれば、イズムを引き継げるのではないかと思っています。

忠四郎　2030年に売上20億の会社を30個つくることをめざした「ミッション2030（トゥエンティ・サーティ）」でしたね。

茂　もともとは、あまりビジネスの規模が大きくなってしまうと会社内でのコミュニケーションが希薄になって働くことが面白くなくなってしまうというのが出発点でした。その考えのもと、目標を定めて次世代の30人のリーダーをつくって、そういう中で楽しく面白くいこうじゃないかって二人で話していたことから生まれた考えでした。会長も私も大きな会社で働いた経験がありますし、会社のコマになる人生は、やはり面白くないですから。

「働き方改革」で、働き方の精度も問われる時代になりました。昭和の高度経済成長期にあった成功のフォーマットは、今の時代では通用しません。一人ひとりが自分の仕事をカスタマイズしてつくっていかなくてはならない。それが今後生き残るために必要なことだと思います。

忠四郎 ＩＴとかＩｏＴとか盛んにいわれていますが、先ほどの「運動会」の話ではないですけど、人の顔が見えなくなった瞬間、チーム感がなくなって「仕事」が「作業」になってしまうと私は思います。ならば、売上20億を１００人以内でつくり上げるほうが、名前や顔も覚えられるし、そんな範囲でやる仕事が我々のめざすべき方向なのかと話をしたことがありましたね。

茂 人々の働きがいをつくりながら、経済成長もめざす。それがアトムの使命だと思っているので、だったらそういう会社を何個かつくれたらという思いは、今も変わらずにあります。

忠四郎 私の場合は、「30個も会社をつくれば、ひとつくらいダメになっても他でカバーできるだろう」という考えもありました。でも、社長が言うように「仕事はパートナーシップでやるもの。イズムの行き届く小さな範囲なら、それぞれが自分の能力を発揮してやりがいも持てる」というのが、「令和流」なんでしょうね。

茂　それこそ、昭和のビジネスの知恵を、うまく令和流に生かしているのだと思いますよ。これは考えてやっているというよりは、私の中に流れている「青井忠治イズム」がそうさせているのかもしれない（笑）。

忠四郎　忠治さんは、どこへでも自分で歩いて出かけていました。朝早く起き、車には乗らず、必ず自分の足で歩く。そして、どんなものも自分の目で確かめる。これは、いつも社長に言っていますよね。「見るべき物件は、車で見に行くな。必ず、歩いて見に行け」と。坂道だったり、駅から遠かったり、みんな違うのですよ。海辺の物件を買いに行ったら、満潮と引き潮ではまったく印象が違います。机上の知識だけでは太刀打ちできません。

茂　会長も丸井の営業時代、自転車で一軒一軒集金に回っていたんですよね。そういう話を子どもの頃から聞いて育っているので、私も常に自分の目と足を使って動くということを大事にしています。今、社員に「自分の足と目で確認しなさい」と言っているのは、実は会長から教わったことです。経験値では圧倒的に会長には敵わないので、そこは一歩ずつ近づいていくしかないと思っています。

変化しながらタスキをつなぐ

忠四郎　人生、いかにいい人にめぐり会えるかというのもあります。変化や多様は昔からいわれていますが、変化を楽しめる人、変化やチャレンジが好きな人が、これからの時代を変えていくのではないかと思います。そもそも、好奇心がなくなったら、人間終わりじゃないですか？　少なくとも私はそう思っていますけど。

茂　会長はいい意味で昔から好奇心の塊というか、野次馬根性がある人ですから大丈夫です（笑）。いろいろ新しいものをつかむのもうまいなと思っていました。でも、年齢を重ねるごとに、変化とか挑戦力がなくなっていくのは自然の摂理なので仕方がない。そこは息子として、そして経営の後輩として、会長をしっかりフォローしていくのが私の役目だと思っています。

星野リゾートの星野佳路さんが「ファミリービジネスは駅伝だ」と名言を残していますが、そもそも、私のような3代目の最大の任務は、駅伝にたとえると「受け取ったタスキを次の走者に確実に渡すこと」なんですよね。速く走ることも、記録を出すことも大事ですが、「タスキをつなぐ」ことがどんなに大事なことか、TVで正月の箱根駅伝を見ても伝わってきます。

忠四郎 引退をスムーズに行うことも重要ですよね。事業承継が成功したかどうかなんて、今日明日に結果が分かるわけじゃない。もらったタスキをうまく次に渡せるか。それは私が死んだ後で「あのときはよかったね」と、はじめて分かるものなんじゃないでしょうか。

茂 ファミリービジネスはもちろん創業者が一番偉い。この「偉い」という言い方も正解なのかどうか分かりませんが、でも2代目は、その創業者が苦労して大きくなる姿を目の当たりに見ている。そういう意味で、すべてお膳立てされた状態で生まれた3代目の私は、創業者や2代目の会長と比べて、非常に脆弱だと思っています。だからこそ、祖父や父の通ってきた歴史を学ばないといけないし、受け取ったバトンを確実に次の世代に渡さないといけない。これは結構しんどいです。

忠四郎 そうですね。続けるのは大変だと思う。創業の方が楽ですよ。

茂 忠治さんは確かにすごい人ですが、でも彼には守るものが何もなかったから、攻めるだけだったんですよね。会長のような2代目や、私のような3代目は、守りながら攻めなければいけない。そのバランスは難しいなと思います。

忠四郎 2代目、3代目は守って当たり前ですからね。潰したら一生汚点が残りますから、悲劇ですよ。だからこそ私が社長に言いたいのは、「体に気をつけて」ということです。

茂　はい（笑）。

忠四郎　親ですからね、そりゃ息子はかわいいですよ。でも、ビジネスの世界はビジネス。親がかわいいと思う子を、必ずしも世間が評価してくれるわけではありません。そこは本人が、世の中に認められるように、結果を出し続けるしかないんです。これは、今、社長の下で働いている社員にも同じことが言えます。だからこそ、私から言えるのはひと言「健康に気をつけてがんばって」だけです。

茂　先ほど会長が「引退をスムーズに行うことも重要」と言いましたが、以前、会議で会長が「私には今の話が分からない。社長がいいなら進めてください」と言ったことがありました。その会議に参加されていた外部の方から「御社の会長はすごいです。普通は、ご自分が分からないことは説明しろ、もしくは分かるようにやり直せ、と言われますが、社長の判断に任せる、という一貫した姿勢をとっておられるのは、すばらしい」と絶賛されたことがありました。会長が会社の方針ではなく、社員一人ひとりの健康にしか口を出さない会社というのも、アトムのよさなんでしょうか。

忠四郎　そこは忠治さんの「イズム」だと思いますよ。

茂　青井忠治イズム、深いですね。まだまだ勉強不足ですが、健康に気をつけて、がんばります（笑）。

エピローグ

何かを妄想しているときが楽しみです。どこに行って何をするか、暇さえあれば考えています。どんな商売が面白そうで、人々の役に立つのか、街に潤いをもたらすのか。妄想するたびにメモが増え、実現した暁には、それを一つずつ消していくのが密かな楽しみです。メモ帳で消されている部分はあまり多くはないけれど（笑）。

未来を考えているときがワクワクします。限りある命が果てた後、この世界がどうなっているのかを考えています。宇宙旅行が当たり前だったり、車が飛んでいたり、はたまた、海の中に街ができていたり。先人たちが考えていた未来が「今」あるように、世界は僕らが描いた未来へ向かっていくと信じています。次の時代を築き上げる若者たちのために、まだ見ぬ次世代の人たちのために、礎を作りあげることが私たちの生きがいです。

日本の未来に対して僕が今いちばんやりたいことは、地方覚醒。日本には数多くの歴史を感じさせる町が存在しています。文化があり、自然があり、伝統が根付く素敵な町たちです。千年単位で培われた日本の魅力、日本人の誇りが、全国にまだまだ埋もれています。戦後の日本は効率性、合理性、機能性を旗印に経済大国となりました。だからこそ、これからの日本には情緒的な価値が必要ではないでしょうか。そんな街の魅力を、素晴らしい仲間と一緒に紡いで未来に繋げていきたいです。

心のどこかでは、不安だったり、批判的だったりするけれど、明るく楽しく前を向いて進んでいけば、道は開けると信じています。評価してもらいたい気持ちはゼロではないけれど、いまチヤホヤされるよりも100年後に思い出してもらいたいと思っています。42歳のオジサンだけれど、仲間とともに変化を恐れず、新しいことに挑戦していくことにやりがいを感じますし、仲間と乗り越えるからこそ私たち人類の存在意義があると感じています。

2020年1月、アトムの61回目の創業記念日に、富山の素晴らしい仲間と新しい事業として、富山まちづくり会社「株式会社TOYAMATO（トヤマト）」の設立を発表しました。

仲間の共通項は富山への「愛」です。もはや地方が受け身で変革できる時代ではありません。先進国も途上国も、都心も地方も関係なく、みんなで働きがいのある持続可能な社会を目指していく方法を探っていかなければばいけません。まずは我々の愛が最大限に集中している富山から始めたいと思っています。

「何をするかより、誰とするか。」

アトムが掲げる企業理念です。いい仲間たちと、前途ある未来を目指して。

仕事終わりに仲間と飲むビールを楽しみに。

令和2年3月　青井 茂

【参考文献】

『ビジネススクールで教えているファミリービジネス経営論』（プレジデント社）
ジャスティン・B・クレイグ、ケン・ムーア、星野佳路、東方雅美

『我が想いの「青井忠四郎」伝説～アトム創業55周年に寄せて～』
谷口睦弘

『景気は自らつくるもの―「丸井創業者、青井忠治の伝記」（東洋経済新報社）
鳥羽欽一郎

『景気を仕掛けた男　「丸井」創業者・青井忠治』（幻冬舎）
井町譲

国土交通省「建築着工統計年報」／総務省「家計調査年報」／総務省「全国人口・世帯数・人口動態表」

SHARE the REAL 父と息子の未来承継

発行日　2020年5月12日 初版発行

著　者　青井茂　青井忠四郎

発行人　　小黒一三
発行所　　株式会社 木楽舎
〒104-0044 東京都中央区明石町11-15 ミキジ明石町ビル6F
TEL：03-3524-9572
http://www.kirakusha.com/

印刷・製本　藤原印刷株式会社

ISBN 978-4-86324-142-8